フッ化物をめぐる誤解を解くための18章

眞木 吉信 編

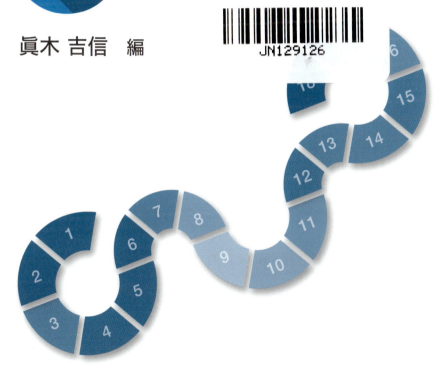

医歯薬出版株式会社

This book is originally published in Japanese
under the title of :

Fukkabutsu Wo Meguru Gokai Wo Tokutame No Chapter 18

Maki, Yoshinobu
   Professor, Tokyo Dental College

©2025 1st ed.

ISHIYAKU PUBLISHERS, INC.
  7-10, Honkomagome 1 chome, Bunkyo-ku,
  Tokyo 113-8612, Japan

はじめに

　フッ化物配合歯磨剤の使用によるアナフィラキシー発現や有機フッ素化合物 PFAS による環境汚染など，新たな誤解に基づくフッ化物応用に対する反対論が次々と現れてきている現状です．このような状況に対応して 2014 年には『フッ化物をめぐる誤解を解くための 12 章』，さらに 2018 年には『フッ化物をめぐる誤解を解くための 12 章＋4 つの新トピックス』を出版してきました．しかし，前述した新たな誤解も含めて満足できる状態ではないと判断し，本書籍を出版させていただくことになりました．

　フッ化物応用によるう蝕予防効果は，長期にわたる疫学的な研究と実績により，安全性や医療経済の観点からも疑いのないことです．実際，歯科口腔保健法に基づく「歯科口腔保健の推進に関する基本的事項」や，地方自治体による「歯科口腔保健推進条例」，さらには「健康日本 21」などによって，フッ化物の積極的な応用が歯の健康を守る手段として明確に位置付けられています．

　しかしながら，一部のメディアや機関・団体からは現在でも，想像に端を発するといいたくなるような誤解を耳にすることも事実です．それらの批判は，過剰な量や濃度のフッ化物を摂取させた動物実験による結果の一部を取り上げたものや，培養細胞を用いた実験から推測したものであり，あたかも同じ結果がヒトで実際に起こってしまうというような言説は，生体反応の Dose Response Relationship の考え方からして科学的とはいえません．

　とはいえ，一般の生活者の多くは歯科の専門知識をもっていないので，フッ化物応用の安全性や毒性など，環境問題も含めてネガティブな意見を耳にすれば心配になるのは当然です．本書では，歯科保健医療の分野でフッ化物応用の教育・研究に長年携わってきた先生方に，専門家や市民のフッ化物応用に関する心配や疑問に対して，これまで問題にされた具体的な質問を提示し，わかりやすい用語を用い，科学的な根拠となる文献をあげて，やさしく解説していただきました．

　この書籍は，新たな執筆者を加え，前述した 2 冊のデータを可及的最新のものに替えるとともに「フッ化物配合歯磨剤によるアナフィラキシー発現？」と「水の PFAS 汚染とう蝕予防に用いられるフッ化物」という 2 つのトピックスを新たに加えました．

　本書が日常臨床のみならず，行政や学校・施設などコミュニティの現場で活用され，フッ化物応用の健全な普及につながれば幸いです．

眞木吉信

もくじ

序論　繰り返される不毛なフッ素論争
　　　―日本弁護士連合会の「集団フッ素洗口・塗布の中止を求める
　　　意見書」への対応―……………………………………………………… 7

Chapter 1　公衆衛生政策における基本的人権の尊重の意味……… 12

Chapter 2　集団フッ化物洗口の使用薬剤と安全管理 ……………… 17

Chapter 3　むし歯予防のための集団フッ化物応用の必要性 ……… 26

Chapter 4　フッ化物応用の有効性 …………………………………… 30

Chapter 5　フッ化物応用における環境汚染の危険性 ……………… 37

Chapter 6　フッ化物応用と人権問題，自己決定権，
　　　　　　　インフォームド・コンセント，プライバシー ……… 41

Chapter 7　フッ化物利用の安全性　①急性毒性 …………………… 45

Chapter 8　フッ化物利用の安全性　②慢性毒性 …………………… 49

Chapter 9　歯や口腔以外の全身への影響 …………………………… 54

Chapter 10　健康格差の解消に向けて ………………………………… 60

Chapter 11 歯科保健推進条例とフッ化物 …………………………… 64

Chapter 12 「栄養」としてのフッ化物応用の健全な考え方
　　　　　　―フッ化物摂取基準の策定と『日本人の食事摂取基準』― ………… 68

Chapter 13 フッ化物のIQ，神経系統への影響 ……………………… 75

Chapter 14 フッ化物配合歯磨剤とチタンインプラント周囲炎の
　　　　　　関連性 …………………………………………………… 80

Chapter 15 高濃度フッ化物配合歯磨剤（1,000を超え1,500ppmF
　　　　　　を上限とする）に関する考え方と使用方法 ……………… 86

Chapter 16 「フッ素についての10の真実」"10 Facts about
　　　　　　Fluoride"のエビデンスレベルを検証する ……………… 91

Chapter 17 水のPFAS（ピーファス）汚染とう蝕予防に用いられるフッ化物 ……… 99

Chapter 18 フッ化物配合歯磨剤によるアナフィラキシー発現？
　　　　　　―う蝕予防のフッ化物応用とアレルギー，アナフィラキシー
　　　　　　　および急性中毒の発現― …………………………………… 104

索引 …………………………………………………………………… 112

【著者】（五十音順）

相田　潤　　Jun Aida　　東京科学大学大学院　医歯学総合研究科　歯科公衆衛生学分野　教授
荒川浩久　　Hirohisa Arakawa　　神奈川歯科大学　特任教授
飯島洋一　　Yoichi Iijima　　長崎大学大学院　医歯薬学総合研究科　医療科学専攻　社会医療科学講座　口腔保健学　元准教授
石塚洋一　　Yoichi Ishizuka　　東京歯科大学　衛生学講座　准教授
磯崎篤則　　Atsunori Isozaki　　朝日大学　教授，朝日大学歯科衛生士専門学校　校長
井下英二　　Eiji Inoshita　　滋賀県　衛生科学センター　前所長
大橋たみえ　　Tamie Ohashi　　朝日大学歯学部　口腔感染医療学講座 社会口腔保健学分野　前准教授
川村和章　　Kazuaki Kawamura　　神奈川歯科大学歯学部　社会歯学系　社会歯科学講座　口腔衛生学分野　講師
木本一成　　Kazunari Kimoto　　神奈川歯科大学歯学部　特任教授
小林清吾　　Seigo Kobayashi　　日本大学松戸歯学部　衛生学講座　前教授
宋　文群　　Wenqun Song　　神奈川歯科大学歯学部　社会歯科学系社会歯科学講座　口腔衛生学分野　講師
田浦勝彦　　Katsuhiko Taura　　NPO法人日本フッ化物むし歯予防協会　顧問
田口千恵子　　Chieko Taguchi　　日本大学松戸歯学部　衛生学講座　専任講師
筒井昭仁　　Akihito Tsutsui　　NPO法人ウェルビーイング　附属研究所　主席研究員
鶴本明久　　Akihisa Tsurumoto　　鶴見大学　名誉教授
濃野　要　　Kaname Nohno　　新潟大学歯学部医歯薬学総合研究科　口腔保健学分野　教授
晴佐久悟　　Satoru Haresaku　　福岡看護大学　教授
平田幸夫　　Yukio Hirata　　神奈川歯科大学　前学長
眞木吉信　　Yoshinobu Maki　　東京歯科大学　名誉教授
八木　稔　　Minoru Yagi　　新潟リハビリテーション大学大学院　非常勤講師
葭内顕史　　Akifumi Yoshiuchi　　北海道子供の歯を守る会　前会長

序論

繰り返される不毛なフッ素論争

　平成23年1月21日付でとりまとめられ，同年2月2日に厚生労働，文部科学および環境の3大臣に対して，日本弁護士連合会（日弁連）から提出された「集団フッ素洗口・塗布の中止を求める意見書（以下，「意見書」と略す）」は，地域保健や歯科臨床の現場において，フッ化物応用に対する疑問を醸し出し，大きな混乱を招きかねない状況にあった．

　地域保健や予防歯科の専門学会である日本口腔衛生学会では，地域における混乱を防ぐために，即刻フッ化物応用委員会を開催して平成23年2月18日にこの「意見書」に対する学会の「見解」を作成し，理事長名で地域行政や歯科医師会など関係各機関に送付した．その後，フッ化物応用委員会のメンバーを中心に，日弁連の「意見書」の内容を詳細に検討したうえで，61ページにわたる項目ごとの「解説」を作成し，「意見書」のなかの非科学的な議論はもちろん，誤った記述や誤解に基づく記載に関して，逐一解説を加えた．最近では「フッ化物応用による知能（IQ）低下」や「高濃度フッ化物配合歯磨剤の安全性」さらには「フッ化物配合歯磨剤によるチタンの腐食」など，誤解に基づく新たな問題が提起されてきたところである．

　本書では，患者を中心とした一般の生活者からフッ化物とその応用の安全性や問題点を問われた場合，特にnegative questionにいかに対応するかを念頭において，有用な情報を提案したつもりである．実際には，「フッ素は毒じゃないの？」「歯の色は変わらないの？」「子どもに使う必要があるの？」「フッ素の垂れ流しは環境汚染にならないの？」といった，現実に想定される質問を提示し，これに対してわかりやすい用語を使い，根拠となる文献を挙げながら解説したものである．

●1. 日本弁護士連合会の「集団フッ素洗口・塗布の中止を求める意見書」への対応

1）日弁連「意見書」の趣旨と概要

　日弁連「意見書」[1)]の表紙には，次のような「意見書の趣旨」の記載がある．

　「むし歯予防のために，保育所，幼稚園，小学校，中学校，特別支援学校等で実施されるフッ素洗口・塗布には，安全性，有効性，必要性・相当性，使用薬剤・安全管理，追跡調査，環境汚染に関して，さまざまな問題点が認められる．

　このような問題点を踏まえると，集団フッ素洗口・塗布の必要性・合理性には重大な疑問があるにもかかわらず，行政等の組織的な推進施策の下，学校等で集団的に実施されている．これによって，個々人の自由な意思決定が阻害され，安全性・有効性，必要性等に関する否定的見解も情報提供されず，プライバシーも保護されないなど，自己決定権，知る権利及びプライバシー権が侵害されており，日本における集団によるフッ素洗口・塗布に関する施策遂行には違法の疑いがある．

　よって，当連合会は，医薬品・化学物質に関する予防原則及び基本的人権の尊重の観点を踏まえ，厚生労働省，文部科学省，各地方自治体及び各学校等の長に対し，学校等で集団的に実施されているフッ素洗口・塗布を中止するよう求める．」

　本文の2ページ目からは，フッ化物応用に対する日弁連のこれまでの対応（昭和56年「むし歯予防へのフッ素利用に関する意見書」，平成19年「市民団体等からの日弁連に対する集団フッ素洗口・歯面塗布の中止を求める人権救済申立て」）と今回の「意見書」の提出にいたる経過が示されている．

　しかしながら，どのような市民団体が人権救済申立てをしたのかまったく不明なうえに，調査・検討の対象に学術的な専門機関または団体がまったくないことは，申立てを行った市民団体にとって，一方的な都合のよい考えを聴取したとしか思えない．

　本文5ページ目からはフッ化物の応用に関する安全性，有効性，必要性，環境汚染さらには人権侵害と違法性など33ページにわたる内容と194の文献を網羅した，トータル50ページにのぼる内容となっている．

> 日本弁護士連合会「集団フッ素洗口・塗布の中止を求める意見書」に対する見解
>
> 平成 23 年 2 月 18 日
> 一般社団法人 日本口腔衛生学会
> 理事長 米満 正美
>
> 平成 23 年 1 月 21 日付、日本弁護士連合会「集団フッ素洗口・塗布の中止を求める意見書」（以下「意見書」）について詳細に検討し、日本口腔衛生学会の見解をまとめたので報告する。
>
> 見 解
>
> 1) WHO 他、世界の 150 を超える医学・歯学・保健専門機関により、「適切に行われるフッ化物のむし歯予防方法は、安全で、もっとも有効な公衆衛生的方策である」と合意されてきている。わが国においても、日本口腔衛生学会（1982 年）、日本歯科医学会（1999 年）、日本歯科医師会（2000 年）、厚生労働省（2000 年）、日本学校歯科医会（2005 年）により、フッ化物の集団応用が推奨され、その有用性が一貫して確認されてきている。
> 2) フッ化物洗口に際して飲み込まれるフッ化物は少量で、WHO が推奨する水道水フッ化物濃度調整（フロリデーション）の場合に比べても少なく、飲食物およびフッ化物配合歯磨剤からのフッ化物摂取を加えたとしても、一日の適正摂取量（0.05mg/kg）以下である。用量用法に従えばフッ化物の過剰摂取の心配が無く、安全性は高い。
> 3) 国内外の広範囲な調査結果から、フッ化物洗口のむし歯予防効果は、時代背景やフッ化物配合歯磨剤の普及状況によって幅があるものの、30〜80％の予防率が期待でき、今日もなお有効であるとの評価が得られている。
> 4) 今日、わが国でも小児のむし歯は減少傾向にあり、12 歳児でも 2 本以下となったが、「健康日本 21」の 2010 年までの目標値（12 歳児で 1 本以下）には達しておらず、先進諸外国に比べ依然として高く、約 2 倍のレベルにある。また都道府県格差、地域格差、個人格差も強く残っている。小児期に発生した永久歯のむし歯は、生涯にわたる負担となる。また、口腔の健康が全身の健康や生活の質に大きくかかわっていることは医学専門機関の一致する見解となっている。したがって、今後とも、小児期における集団フッ化物洗口・歯面塗布を我が国で普及する意義は大きい。
> 5) 本「意見書」に引用されている、フッ化物洗口・歯面塗布に関する有害性や副作用は、国内外の医学・歯学専門機関の見解と相違し、科学情報の誤認や不合理な論旨が認められる。
> 6) 学校・園等施設において行われるフッ化物洗口・歯面塗布は、児童・教職員・保護者に対して、その必要性、有効性、安全な実施方法などの事前説明がなされ、保護者の希望を基にすることとなっており、このような情報提供と自己選択を明記したガイドラインに沿って実施されているフッ化物洗口は、学校保健管理の一環として国際的にも広く認められている。
> 7) 厚生労働省は「フッ化物洗口ガイドライン」（2003 年）を示し、公衆衛生特性の高い地域単位での集団フッ化物洗口の有効性と安全性を確認し推奨している。フッ化物歯面塗布についても戦後間もない 1949 年から今日まで継続して推奨されているう蝕予防手段である。日本口腔衛生学会はこれを全面的に支持するものである。

図 1　日弁連「意見書」に対する日本口腔衛生学会の見解（平成 23 年 2 月 18 日）

2) 日弁連と意見書の拘束力

　日弁連は，日本国憲法の制定に伴い戦後の司法制度が改革されるなかで制定された，弁護士法に基づいて昭和 24 年 9 月 1 日に設立された法人であり，日本全国すべての弁護士および弁護士法人は，各地の弁護士会に入会すると同時に日弁連に登録しなければならない．

表1 日弁連「意見書」に対する専門学会・機関の見解

	専門学会（発行順）		発行日
1	一般社団法人日本口腔衛生学会		平成23年2月18日
2	一般社団法人日本小児歯科学会		平成23年3月18日
3	一般社団法人日本口腔衛生学会 一般社団法人日本障害者歯科学会		平成23年4月11日
	機関		
4	NPO法人日本むし歯予防フッ素推進会議		平成23年2月16日
5	社団法人日本学校歯科医会	日学歯発271号	平成23年2月25日
6	社団法人日本歯科医師会	日歯発1852号	平成23年3月9日 （地域保健扱い）

　この日弁連が年間に出す意見書の数は相当あるため，今回の「意見書」についても，歯科関連企業の顧問弁護士を含む筆者の周囲の弁護士に周知状況を問うてみたところ，知っている弁護士は皆無であった．また，このような意見書には何ら拘束力が存在しないことも判明した．

3）日弁連「意見書」に対する専門学会・機関の見解

　この「意見書」の内容に関して，日本口腔衛生学会としての見解[2]は図1に示したとおりで，これまで厚生労働省が示してきた公衆衛生的なフッ化物応用はもちろん，病院・診療所や家庭・職場での個別の応用についても，これまでどおり積極的に推進していくというものである．

　日本口腔衛生学会を含む専門学会・機関の見解については表1に示したので参考にしていただきたい．繰り返される不毛な「フッ素論争」を解消するために，「意見書」にある個々の誤りと誤解，さらには従来から存在していた疑問に対する回答について，詳細な解説を試みたものである．

●2. 新たなフッ素論争の幕開け

　世界的な論争の焦点は，「フッ化物応用による知能（IQ）の低下」である．中国で実施された疫学データから，低年齢の時期に高濃度フッ化物イオンを含む飲料水を飲んだ子どもたちのIQスコアが，そうでない子どもたちに比べて低かったと2012年7月にハーバード大学の研究チームが報告した．このことから，水道水フロリデーションはIQを低下させる可能性があると警告したこ

とに始まる．2014年には「ランセット」という高名な学術誌にも一部が掲載され，この論争に拍車を掛けてきた．

一方，わが国では「フッ化物配合歯磨剤によるチタン腐食」が，一部の過激な実験データから歯磨剤のメーカーを巻き込んで，日本インプラント学会全体の意向でもあるかのように宣伝されてきた．さらには，厚生労働省の高濃度フッ化物配合歯磨剤の認可（1,000を超え，1,500 ppmFを上限とする，2017年3月17日付）を受けて，「高濃度フッ化物配合歯磨剤の安全性」にまで議論が及んできた．

「フッ素についての10の真実 "10 Facts About Fluoride"」など，繰り返される不毛な「フッ素論争」[3]は，今や生命科学の問題ではなく，社会科学の問題である．

（眞木吉信）

文献

1) 日本弁護士連合会：集団フッ素洗口・塗布の中止を求める意見書．
   2011年1月21日（http://www.nichibenren.or.jp/library/ja/opinion/report/data/110121.pdf）
2) 日本口腔衛生学会フッ化物応用委員会：日本弁護士連合会「集団フッ素洗口・塗布の中止を求める意見書」に対する見解．
   2011年11月11日（http://www.kokuhoken.or.jp/jsdh/file/news/news_111118_jsdh.pdf）
3) 天笠啓佑．フッ素洗口の強制で子どもたちの健康が犠牲になる．週刊金曜日．2023；36-37．

Chapter 1

公衆衛生政策における基本的人権の尊重の意味

Q 学校でフッ化物洗口を行うのは，人権侵害ではありませんか？

A 人権侵害ではありません．わが国のフッ化物洗口は個人希望制です．健康でありたいと望むことは基本的人権の一つであり，皆が平等にヘルスケアを受けられる実績のある方法がフッ化物洗口です．

「なぜ歯科の専門外である日本弁護士連合会（日弁連）が歯科に関する「意見書」[1)]を提出したのか？」という疑問を抱かれた歯科関係者は少なくないであろう．それは，弁護士という職の特異性からくる結果ではなかろうかと推測される．依頼されれば法律的にそれに対処するのが弁護士の仕事であろう．しかし，今回の「意見書の論旨」を詳細に検討すると，法律的に解釈しても不合理である．また，歯科専門機関の科学的結論を無視した135カ所あまりの誤謬が実際この「意見書」には書かれているのであり，驚きである．すでに，専門学会など6団体からの「見解」が出され，「意見書」に含まれている誤謬を正すために詳細な「解説書」が日本口腔衛生学会から公表されている[2)]．

「意見書」の前段部分に示されている「1　予防原則」と「2　公衆衛生における基本的人権の尊重」，この2点の根本的視点を検討してみると，個人的視点からは一見合理的な側面をもちながらも，総合的・全体的視点からは矛盾を生じる側面が生まれてきた．この2点に含まれる問題点について具体的に解説したいと思う．そうすることにより，「意見書」がなぜWHOをはじめ医学保健専門機関の合意と異なる内容になったのか理解できるのではなかろうか．

今回の依頼者が，日本教職員組合などのフッ化物利用反対者であるため，その立場を擁護，正当化するために「意見書」が書き上げられたと考えられる．

●「予防原則」に含まれる問題点

「意見書」では「予防原則」に関して次のように記述されている．「フッ化物洗口等で用いるフッ化ナトリウムは化学物質であるので，（有害作用との）因果関係が科学的に解明されていない場合も，被害を未然に予防する措置を講ずるべきという予防原則で対処すべき」「現時点までは問題が無いとしても，何年か後に被害が現実化・深刻化する可能性があり，そこで事前に対処する方針が必要で，これが予防原則である」．

まず"化学物質"とは，複数の元素が結合した物質の総称で，水（H_2O）も食塩（NaCl）も"化学物質"である，との認識を共有したい．次に，上記の「予防原則」は，新薬や医学データの少ない物質の利用に対しては妥当であるといえる．しかし，フッ化物は長い間人間とともにあった物質であり，天然に飲料水に含まれるフッ化物イオンの濃度と人間を対象とする疫学調査から確立された実績のあるフッ化ナトリウムの利用には当てはまらない．適切な用量・用法で利用されるフッ化物（フッ化ナトリウム）の使用を中止せよとは，科学的論理性の無視といわざるをえない．

人体に直接用いない目的のものや公害物質として扱われるフッ化物（フッ化水素 HF など）と混同してはならない．また，「たくさん摂れば死ぬのでフッ素は毒である」と考え使用を中止せよとあるが，「意見書」が引用している「マイアミ宣言」や「小児環境保健対策疫学調査に関する検討会」では，フッ化ナトリウムはその対象となる環境汚染物質とはなっていない．逆に，水に溶けたフッ化物イオン（フッ素）は微量元素（栄養素）として摂取することが勧められる物質である．

さらに「意見書」では，「集団で行うことが問題なのであり，フッ化物洗口等は歯科医院で，家庭で，受益者の選択のもとで実施すべき」との記述がある一方，「フッ化物による発がん性，アレルギー，知能指数の低下などの副作用の危険が前提になる薬剤である」との記述がある．この2つの記述は論理的に矛盾している．

仮に「意見書」の「予防原則」に従って考えるならば，「受益者の選択のもとであってもフッ化物洗口の実施はすべきでない」と記述されるべきではなかろうか．なぜ，このような医学倫理上からは考えられない矛盾が生じたのであろうか．依頼者の意図に無理に応えようとした結果であろうか．

●「公衆衛生における基本的人権の尊重」に含まれる問題点

「意見書」による公衆衛生における基本的人権に関する記述は次のようになっている．「公共の福祉を理由にして，個人（特に少数者）の人権保障を軽視することは決して許されない」「集団フッ素洗口・塗布においても，子ども全体のう蝕予防という「善行」の名の下に実施される公衆衛生施策であるため，公権力による少数者の人権侵害の危険性を孕んでおり，自己決定権の保障は極めて重要である」．

現に人権侵害を受けている場合には，人権保護を訴えることは重要な側面をもつ．しかし，わが国で実施されている「学校保健のフッ化物洗口」は，個人希望制に基づいている．1970年の開始当時から今日（12,103施設，1,272,577名実施，2016年現在[3]）まで，中止すべきとの結論となるような人権侵害の報告はない．また，フッ化物洗口未実施の子どもに対しては希望に応じ水道水での洗口を一緒に行う施設も多い．実際，希望者制であることから，例えば，秋田県（139小学校実施）の施設単位での実施率は，92.3％[4]であり，全国でも同レベルにある．

「意見書」の基本的人権を考察する前提として，甲という権利の主張者の存在と同時に乙という権利の主張者の存在を念頭におかなければならない．「希望者に学校保健でのフッ化物洗口を継続実施する場合（図1）」と「一部の希望しない者のために学校全体でフッ化物洗口を中止した場合（図2）」の両面からよく検討することが重要になってくる．そして，どちらの選択が健康的であるか

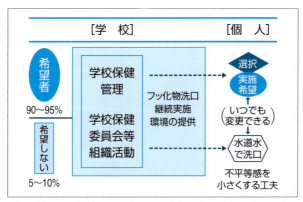

図1 希望者に学校保健でのフッ化物洗口を継続実施する場合

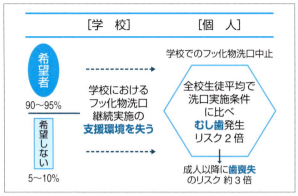

図2 一部の希望しない者のために学校全体でフッ化物洗口を中止する場合

が医学的・歯学的に検討され，複数の専門機関の合意に基づき，是非の判断が下されるべきものであろう．

「意見書」の主張はフッ化物洗口実施継続希望者の人権を無視している．中止した場合のほうがずっと多くの人権侵害者が生じるのである．一部の希望しない者の立場を考慮することは重要であるが，希望する者の立場も同様に大切にされるべきでなかろうか．

さらに，憲法第25条において「すべての国民は，健康で文化的な最低限度の生活を営む権利を有する」「国は，すべての生活部面について，社会福祉，社会保障および公衆衛生の向上および増進に努めなければならない」とある．すべての子ども達が平等にヘルスケアを受けられる「学校保健のフッ化物洗口」は公衆衛生の向上および増進を確かなものにする方法といえる．

実際には存在しない人権侵害の恐れを理由に，望めばできる方法を中止せよという「意見書」の主張は，引いてはすべての子ども達に対する健康権という基本的人権の侵害につながる．偏った一面的な見方でなく大局的な見方が優先されるべきである．

謝辞
本稿を作成するにあたり貴重なご意見をいただきました，東北大学大学院歯学研究科 小坂　健先生，田浦勝彦先生，相田　潤先生に心より感謝いたします．

（小林清吾・田口千恵子・葭内顕史）

文　献

1) 日本弁護士連合会：集団フッ素洗口・塗布の中止を求める意見書．2011 年 1 月 21 日．
(http://www.nichibenren.or.jp/library/ja/opinion/report/data/110121.pdf)(2012 年 3 月 19 日アクセス)
2) 日本口腔衛生学会：日本弁護士連合会「集団フッ素洗口・塗布の中止を求める意見書」に対する見解．2011 年 2 月 18 日．
(http://www.kokuhoken.or.jp/jsdh/file/news/news_110225_opinion.pdf)(2012 年 3 月 19 日アクセス)
3) 厚生労働省．各都道府県におけるフッ化物洗口の実施状況について（平成 30 年度）．
https://www.mhlw.go.jp/content/000711481.pdf（2024 年 5 月 11 日アクセス）
4) 秋田県健康福祉部健康増進課．令和 5 年度フッ化物洗口事業　市町村実施状況（小学校），令和 5 年 12 月調査．

Chapter 2

集団フッ化物洗口の使用薬剤と安全管理

集団フッ化物洗口に使用する薬剤は，医療用医薬品なのですか？
また，集団フッ化物洗口では安全管理体制や実施上の安全は確保されていますか？

集団フッ化物洗口で使用されるフッ化物洗口剤は医療用医薬品です．また，集団フッ化物洗口は，職員の協力を得て安全管理に配慮して適正に管理され，実施されています．

●50 年間（半世紀）にわたる日本の集団フッ化物洗口の歴史

　集団フッ化物洗口は，日本では 1970 年に新潟県弥彦村において導入され，歯科医師会，行政，施設および学校の関係者の協力を得て，全国各地に拡大普及してきた．2018 年度の実施状況は，実施施設が 14,359 施設，洗口実施人数が 1,573,535 人であった（**表 1**）[1]．また，2014 年調査における施設別フッ化物洗口実施人数に基づく実施項目の割合（**表 2**）から，全国での実施状況が把握できる[2]．いずれの施設でも行政や教育委員会の経費負担割合が高い．

　この間，集団フッ化物洗口に関する安全管理体制が整備され，2003 年に厚生労働省が『フッ化物洗口ガイドラインについて』の文書を都道府県知事宛に通知した．

　なお，薬事法の一部改正で，2009 年 6 月以降はフッ化物洗口剤の販売ができないこととなったが，2012 年 3 月 16 日付で厚生労働省医薬食品局から，卸売販売業者が学校歯科医師の指示に基づき，う蝕予防のために必要な医薬品（市販のフッ化物洗口剤）を「学校の長」に販売することを認める旨の通知が発出された[3]．これは，保育所などの児童福祉施設の長および市町村などの保健予防担当部署にも準用してかまわないと解される．

表1 各都道府県におけるフッ化物洗口の実施状況について(平成30年度)

都道府県名		実施施設数(施設実施率%)				小学校	中学校	特別支援学校	合計
		保育所等	認定こども園	幼稚園	小計				
1	北海道	368 (37.4)	128 (49.2)	125 (34.8)	621 (38.8)	679 (65.0)	134 (22.4)	0 (0.0)	1,434 (43.2)
2	青森県	2 (0.7)	29 (12.6)	3 (4.8)	34 (5.9)	17 (5.9)	9 (5.6)	0 (0.0)	60 (5.8)
3	岩手県	95 (25.1)	27 (37.0)	23 (26.4)	145 (26.9)	54 (17.1)	21 (12.8)	0 (0.0)	220 (21.3)
4	宮城県	186 (26.8)	14 (34.1)	47 (19.9)	247 (25.5)	11 (2.9)	1 (0.5)	0 (0.0)	259 (16.3)
5	秋田県	134 (56.3)	44 (55.7)	11 (42.3)	189 (55.1)	190 (95.5)	94 (81.7)	2 (13.3)	475 (70.7)
6	山形県	23 (7.8)	4 (6.2)	2 (3.6)	29 (7.0)	30 (11.9)	4 (4.0)	0 (0.0)	63 (8.0)
7	福島県	194 (53.7)	68 (77.3)	103 (40.6)	365 (51.9)	186 (41.5)	21 (9.1)	0 (0.0)	572 (40.7)
8	茨城県	37 (6.9)	20 (10.8)	4 (2.0)	61 (6.6)	0 (0.0)	0 (0.0)	0 (0.0)	61 (3.7)
9	栃木県	0 (0.0)	0 (0.0)	0 (0.0)	0 (0.0)	87 (24.0)	0 (0.0)	0 (0.0)	87 (7.5)
10	群馬県	33 (11.0)	18 (8.9)	9 (8.5)	60 (9.9)	6 (1.9)	1 (0.6)	1 (3.6)	68 (6.1)
11	埼玉県	116 (6.5)	2 (2.2)	38 (7.2)	156 (6.5)	148 (18.1)	25 (5.6)	3 (6.5)	332 (9.0)
12	千葉県	73 (5.5)	14 (10.9)	24 (5.2)	111 (5.8)	28 (3.5)	5 (1.2)	1 (2.2)	145 (4.6)
13	東京都	0 (0.0)	0 (0.0)	1 (0.1)	1 (0.0)	2 (0.2)	1 (0.1)	0 (0.0)	4 (0.1)
14	神奈川県	14 (0.7)	0 (0.0)	5 (0.8)	19 (0.7)	0 (0.0)	0 (0.0)	0 (0.0)	19 (0.4)
15	新潟県	469 (72.3)	115 (83.9)	41 (57.7)	625 (72.9)	438 (94.2)	137 (58.5)	12 (32.4)	1,212 (76.1)
16	富山県	82 (37.1)	18 (19.1)	10 (21.3)	110 (30.4)	90 (47.4)	17 (20.7)	1 (6.7)	218 (33.6)
17	石川県	18 (7.3)	14 (11.4)	0 (0.0)	32 (7.8)	0 (0.0)	0 (0.0)	0 (0.0)	32 (4.4)
18	福井県	82 (44.6)	53 (50.5)	17 (23.0)	152 (41.9)	2 (1.0)	0 (0.0)	0 (0.0)	154 (23.4)
19	山梨県	8 (3.9)	1 (1.8)	— (—)	9 (3.5)*2	1 (0.6)	1 (1.1)	— (—)	11 (2.1)*2
20	長野県	95 (17.1)	8 (19.0)	14 (15.6)	117 (17.0)	76 (20.5)	23 (11.7)	0 (0.0)	216 (17.0)
21	岐阜県	49 (12.2)	14 (20.3)	22 (13.3)	85 (13.3)	168 (45.3)	42 (22.3)	10 (43.5)	305 (24.9)
22	静岡県	260 (41.0)	190 (79.5)	182 (48.5)	632 (50.6)	47 (9.3)	10 (3.4)	0 (0.0)	689 (33.0)
23	愛知県	644 (40.4)	78 (61.4)	96 (21.0)	818 (37.5)	369 (37.8)	9 (2.0)	0 (0.0)	1,196 (32.9)
24	三重県	102 (23.9)	12 (35.3)	31 (16.0)	145 (22.2)	14 (3.7)	0 (0.0)	0 (0.0)	159 (13.0)
25	滋賀県	51 (16.3)	34 (42.0)	29 (21.3)	114 (21.6)	57 (25.6)	3 (2.8)	0 (0.0)	174 (19.9)
26	京都府	67 (11.4)	18 (24.7)	18 (9.0)	103 (12.0)	293 (76.1)	10 (5.2)	5 (20.8)	411 (28.1)
27	大阪府	6 (0.4)	10 (1.8)	5 (0.9)	21 (0.8)	1 (0.1)	0 (0.0)	0 (0.0)	22 (0.5)
28	兵庫県	120 (13.2)	146 (33.6)	49 (10.1)	315 (17.1)	1 (0.1)	0 (0.0)	0 (0.0)	316 (10.4)
29	奈良県	25 (14.0)	2 (3.4)	13 (7.9)	40 (9.9)	7 (3.4)	2 (1.7)	0 (0.0)	49 (6.7)
30	和歌山県	21 (12.1)	3 (8.1)	0 (0.0)	24 (8.5)	115 (45.1)	16 (12.2)	3 (25.0)	158 (23.2)
31	鳥取県	83 (42.1)	18 (58.1)	0 (0.0)	101 (41.4)	5 (4.0)	3 (5.0)	0 (0.0)	109 (24.8)
32	島根県	40 (13.7)	13 (52.0)	28 (34.1)	81 (20.3)	135 (66.5)	47 (47.0)	1 (8.3)	264 (36.9)
33	岡山県	10 (2.4)	4 (5.7)	9 (3.5)	23 (3.1)	8 (2.0)	0 (0.0)	0 (0.0)	31 (2.5)
34	広島県	15 (2.3)	9 (8.1)	2 (0.8)	26 (2.6)	7 (1.4)	0 (0.0)	0 (0.0)	33 (1.8)
35	山口県	100 (31.7)	5 (9.6)	27 (19.1)	132 (26.0)	155 (50.0)	26 (15.7)	0 (0.0)	313 (31.4)
36	徳島県	0 (0.0)	1 (2.6)	0 (0.0)	1 (0.3)	5 (2.6)	1 (1.1)	0 (0.0)	7 (1.1)
37	香川県	13 (6.3)	8 (17.8)	21 (15.9)	42 (10.9)	74 (44.8)	19 (25.0)	4 (44.4)	139 (21.9)
38	愛媛県	30 (9.0)	2 (3.4)	9 (7.0)	41 (7.9)	142 (50.0)	20 (14.9)	0 (0.0)	203 (21.4)
39	高知県	152 (55.9)	7 (25.0)	15 (53.6)	174 (53.0)	120 (51.5)	58 (45.0)	4 (30.8)	356 (50.4)
40	福岡県	1 (0.1)	0 (0.0)	2 (0.5)	3 (0.2)	14 (1.9)	0 (0.0)	0 (0.0)	17 (0.6)
41	佐賀県	180 (77.3)	56 (78.9)	39 (84.8)	275 (78.6)	161 (98.2)	53 (57.6)	10 (90.9)	499 (80.9)
42	長崎県	495 (74.3)*4			495 (74.3)	330 (100.0)	71 (37.6)	18 (100.0)	914 (78.2)
43	熊本県	406 (64.1)	74 (57.8)	44 (57.9)	524 (62.6)	284 (81.4)	132 (76.3)	0 (0.0)	940 (68.2)
44	大分県	74 (27.2)	11 (10.4)	31 (19.3)	116 (21.5)	196 (72.1)	34 (24.6)	14 (82.4)	360 (37.3)
45	宮崎県	205 (63.5)	80 (48.8)	25 (43.9)	310 (57.0)	150 (62.0)	53 (38.4)	0 (0.0)	513 (54.7)
46	鹿児島県	167 (38.0)	41 (22.3)	33 (24.8)	241 (31.9)	70 (13.5)	15 (6.3)	1 (5.9)	327 (21.4)
47	沖縄県	179 (26.4)	6 (10.3)	10 (4.5)	195 (20.1)	12 (4.4)	6 (3.9)	0 (0.0)	213 (15.0)
	全国	5,525 (18.9)	1,419 (26.1)	1,216 (12.8)	8,160 (18.4)	4,985 (25.1)	1,124 (10.9)	90 (7.9)	14,359 (19.0)

「保育所等」には,保育所型認定こども園,小規模保育事業,家庭的保育事業,事業所内保育事業及び居宅訪問型保育事業を含む.
「認定こども園」には,幼保連携型認定こども園,幼稚園型認定こども園及び地方裁量型認定こども園を含む.

「保育所等」の施設・人数実施率の算出には,厚生労働省「平成30年社会福祉施設等調査」の保育所等数・地域型保育事業所数及び利用児童数(4歳以上)と,内閣府「認定こども園に関する状況について(平成30年4月1日現在)」の認定こども園数を用いた.
「認定こども園」の都道府県別の人数実施率の算出には,本調査において都道府県が報告した全対象児童数を用いた.なお,全対象児童数が不明の都道府県の「認定こども園」の施設実施率の算出には,内閣府「認定こども園に関する状況について(平成30年4月1日現在)」の,年齢別在籍児童数(4歳以上)を用いた.
「幼稚園」の人数実施率の算出には,文部科学省「平成30年度学校基本調査」における都道府県別在園者数及び入園者数(4歳以上)から,本調査において「小学校」,「中学校」,「特別支援学校」の施設及び人数実施率の算出には,文部科学省「平成30年度学校基本調査」を用いた.ただし,
*1 栃木県,千葉県,東京都,神奈川県,三重県,鳥取県,高知県,福岡県,熊本県,鹿児島県については,「認定こども園」の全対象児童数が不明のた
*2 山梨県については,「幼稚園」と「特別支援学校」の実施施設数,実施人数が不明のため,「—」とし,小計・合計の施設から除いて集計した.
*3 和歌山県については,「保育所等」と「認定こども園」の実施人数が不明のため,「—」とし,小計・合計の人数実施率から除いて集計した.
*4 長崎県については,保育所等・認定こども園・幼稚園が区分できないため,保育所等・認定こども園・幼稚園の合計のみ集計した.

実施人数（人数実施率%）								都道府県名
保育所等	認定こども園	幼稚園	小計	小学校	中学校	特別支援学校	合計	
7,084 (23.9)	5,406 (35.9)	6,667 (23.4)	19,157 (26.2)	98,151 (40.3)	10,125 (8.0)	0 (0.0)	127,433 (28.6)	北海道
50 (0.6)	690 (4.0)	192 (8.8)	932 (3.4)	11,888 (20.4)	4,632 (14.4)	0 (0.0)	17,452 (14.7)	青森県
1,664 (14.8)	847 (15.7)	274 (7.7)	2,785 (13.8)	5,690 (9.6)	1,710 (5.4)	0 (0.0)	10,185 (9.1)	岩手県
5,826 (38.6)	933 (75.3)	3,516 (17.7)	10,275 (28.4)	1,364 (1.2)	92 (0.2)	0 (0.0)	11,731 (5.5)	宮城県
1,806 (24.8)	1,024 (87.2)	191 (16.9)	3,021 (31.5)	38,642 (90.6)	17,650 (76.6)	91 (13.6)	59,404 (78.2)	秋田県
859 (8.8)	276 (4.1)	125 (4.5)	1,260 (6.6)	5,462 (10.2)	349 (1.1)	0 (0.0)	7,071 (7.0)	山形県
5,628 (55.6)	3,427 (63.2)	4,915 (36.4)	13,970 (48.1)	27,892 (31.0)	2,299 (4.6)	0 (0.0)	44,161 (26.0)	福島県
1,275 (5.6)	1,230 (11.7)	229 (1.5)	2,734 (5.6)	0 (0.0)	0 (0.0)	0 (0.0)	2,734 (1.0)	茨城県
0 (0.0)	0 (—)	0 (0.0)	0 (0.0) *1	18,352 (18.2)	0 (0.0)	0 (0.0)	18,352 (10.2) *1	栃木県
1,083 (8.0)	873 (9.2)	350 (6.8)	2,306 (8.2)	717 (0.7)	75 (0.1)	37 (0.8)	3,135 (1.7)	群馬県
1,132 (2.3)	84 (0.6)	1,676 (2.6)	2,892 (2.3)	54,304 (14.6)	8,672 (4.6)	221 (5.2)	66,089 (9.6)	埼玉県
2,795 (6.4)	601 (—)	2,606 (5.2)	6,002 (5.8) *1	24,021 (7.6)	405 (0.3)	274 (8.0)	30,702 (5.3) *1	千葉県
38 (0.0)	0 (—)	0 (0.0)	38 (0.0) *1	310 (0.1)	26 (0.0)	0 (0.0)	374 (0.1) *1	東京都
482 (0.8)	0 (—)	343 (0.5)	825 (0.6) *1	0 (0.0)	0 (0.0)	0 (0.0)	825 (0.1) *1	神奈川県
16,026 (65.3)	6,032 (65.4)	1,521 (47.1)	23,579 (63.7)	100,208 (91.6)	25,560 (46.2)	177 (14.1)	149,524 (73.7)	新潟県
3,000 (30.3)	966 (17.1)	335 (16.9)	4,301 (24.5)	21,411 (42.1)	3,393 (12.2)	14 (2.0)	29,119 (30.0)	富山県
400 (3.7)	405 (4.6)	0 (0.0)	805 (3.5)	0 (0.0)	0 (0.0)	0 (0.0)	805 (0.7)	石川県
1,838 (23.8)	1,696 (14.4)	354 (28.7)	3,888 (18.7)	148 (0.4)	0 (0.0)	0 (0.0)	4,036 (4.8)	福井県
112 (1.3)	55 (1.4)	— (—)	167 (1.3) *2	303 (0.7)	118 (0.5)	— (—)	588 (0.8) *2	山梨県
2,553 (9.2)	174 (1.9)	584 (9.4)	3,311 (7.7)	20,891 (19.9)	6,778 (11.9)	0 (0.0)	30,980 (14.8)	長野県
1,417 (7.6)	581 (22.8)	699 (4.9)	2,697 (7.6)	34,437 (31.9)	8,943 (15.5)	661 (51.9)	46,738 (23.3)	岐阜県
9,368 (49.5)	9,942 (38.3)	9,587 (36.2)	28,897 (40.5)	10,177 (5.3)	3,220 (3.2)	0 (0.0)	42,294 (11.6)	静岡県
20,534 (26.6)	3,523 (17.9)	6,793 (12.5)	30,850 (20.4)	125,898 (30.3)	3,448 (1.7)	0 (0.0)	160,196 (20.6)	愛知県
3,653 (20.4)	561 (—)	1,032 (9.4)	5,246 (16.2) *1	492 (0.5)	0 (0.0)	0 (0.0)	5,738 (3.0) *1	三重県
1,441 (11.9)	1,599 (33.4)	1,321 (14.5)	4,361 (14.8)	15,948 (19.4)	840 (2.1)	0 (0.0)	21,149 (14.1)	滋賀県
2,387 (10.7)	1,113 (22.9)	870 (5.4)	4,370 (10.1)	95,137 (75.5)	1,050 (1.6)	806 (58.5)	101,363 (42.8)	京都府
223 (0.5)	690 (0.9)	230 (0.4)	1,143 (0.6)	83 (0.0)	0 (0.0)	0 (0.0)	1,226 (0.1)	大阪府
5,206 (17.5)	7,780 (15.7)	2,471 (7.1)	15,457 (13.9)	24 (0.0)	0 (0.0)	0 (0.0)	15,481 (2.8)	兵庫県
591 (6.7)	146 (5.2)	725 (7.9)	1,462 (6.2)	348 (0.5)	74 (0.2)	0 (0.0)	1,884 (1.4)	奈良県
— (—)	— (—)	0 (0.0)	0 (0.0) *3	14,000 (30.4)	1,073 (4.4)	329 (38.6)	15,402 (20.4) *3	和歌山県
3,295 (47.0)	703 (—)	0 (0.0)	3,998 (38.6) *1	984 (3.4)	434 (2.9)	0 (0.0)	5,416 (8.9) *1	鳥取県
1,236 (13.0)	215 (3.3)	463 (21.7)	1,914 (10.5)	19,603 (56.3)	7,175 (40.8)	11 (2.6)	28,703 (40.4)	島根県
204 (0.6)	150 (6.9)	346 (3.1)	700 (2.1)	2,775 (4.7)	0 (0.0)	0 (0.0)	3,475 (1.9)	岡山県
477 (1.7)	311 (98.1)	114 (0.6)	902 (1.9)	507 (0.3)	0 (0.0)	0 (0.0)	1,409 (0.5)	広島県
2,654 (22.9)	433 (4.3)	1,125 (15.4)	4,212 (14.6)	35,406 (51.9)	3,449 (10.0)	0 (0.0)	43,067 (32.5)	山口県
0 (0.0)	4 (0.1)	0 (0.0)	4 (0.0)	947 (2.7)	11 (0.1)	0 (0.0)	962 (1.4)	徳島県
409 (4.8)	371 (6.6)	747 (11.6)	1,527 (2.6)	26,027 (50.9)	4,199 (15.9)	176 (27.6)	31,929 (23.2)	香川県
701 (6.5)	46 (5.2)	364 (5.1)	1,111 (5.9)	25,379 (36.5)	2,832 (8.3)	0 (0.0)	29,322 (23.8)	愛媛県
3,865 (45.3)	241 (—)	546 (55.2)	4,652 (46.3) *1	9,715 (29.3)	2,934 (16.8)	38 (8.3)	17,339 (28.2) *1	高知県
79 (0.2)	0 (0.0)	202 (0.6)	281 (0.4) *1	4,708 (1.7)	0 (0.0)	0 (0.0)	4,989 (1.0) *1	福岡県
7,374 (89.1)	3,908 (98.1)	2,255 (98.4)	13,537 (93.0)	45,143 (99.4)	11,985 (51.5)	394 (58.3)	71,059 (84.7)	佐賀県
	16,651 (94.4) *4		16,651 (94.4)	65,287 (91.6)	8,932 (24.5)	713 (84.4)	91,583 (72.5)	長崎県
11,901 (59.4)	4,075 (—)	1,780 (37.0)	17,756 (55.1) *1	55,813 (57.0)	22,780 (47.3)	0 (0.0)	96,349 (53.7) *1	熊本県
2,281 (30.3)	447 (2.9)	833 (14.9)	3,561 (12.4)	23,443 (39.5)	5,407 (18.4)	548 (70.9)	32,959 (27.9)	大分県
5,100 (53.7)	4,072 (46.0)	668 (33.4)	9,840 (48.4)	36,684 (59.6)	11,854 (39.4)	0 (0.0)	58,378 (51.7)	宮崎県
4,822 (33.1)	2,055 (—)	1,775 (29.5)	8,652 (32.1) *1	9,262 (10.2)	2,247 (4.9)	148 (10.5)	20,309 (11.5) *1	鹿児島県
6,794 (39.3)	503 (6.9)	557 (4.7)	7,854 (21.6)	1,858 (1.8)	404 (0.9)	0 (0.0)	10,116 (5.4)	沖縄県
166,314 (16.6)	68,188 (17.9)	59,381 (7.8)	293,883 (13.7)	1,089,839 (17.0)	185,175 (5.7)	4,638 (6.2)	1,573,535 (13.2)	全国

令和3年3月時点集計

上）を用いた．

県は，「—」とした．
児・5歳児の合計）を用いた．
て都道府県が報告した幼稚園型認定こども園の全児童数（4歳，5歳）を除いた人数を用いた．
においては幼稚部・小学部・中学部までとした．
め，認定こども園の人数実施率は「—」とし，小計・合計の人数実施率から除いて集計した．

（歯科保健課調べ）

表2 施設別フッ化物洗口実施人数に基づく実施状況項目の割合（％）（2014年）*

調査項目	回答肢	保育所幼稚園	小学校	中学校	特別支援学校等	実施施設合計
週あたりの洗口回数†	週5回	56.2	1.9	2.0	13.3	15.4
	週2回	16.9	0.3	0.1	5.3	4.4
	週1回	22.5	97.7	97.7	72.4	79.0
	その他	4.3	0.1	0.1	9.0	1.2
洗口液フッ化物濃度†	225〜250 ppmF	63.0	2.9	3.2	9.6	17.3
	450 ppmF	23.4	27.8	21.5	20.8	26.3
	900 ppmF	12.4	69.1	74.4	63.5	55.9
	その他	1.2	0.2	0.9	6.1	0.5
使用洗口剤	フッ化ナトリウム	21.5	46.3	58.1	42.4	36.9
	市販フッ化物洗口剤	78.5	53.7	41.9	57.6	63.1
経費負担者・団体	行政・教育委員会単独	70.4	87.5	90.4	69.4	83.6
	施設単独	10.2	1.2	1.7	9.7	3.5
	保護者単独	7.9	5.8	3.6	13.3	6.1
	歯科医師会単独	2.5	0.9	1.6	1.4	1.3
	その他，複合など	9.0	4.6	2.8	6.2	5.5

NPO法人 日本むし歯予防フッ素推進会議，（公財）8020推進財団，WHO口腔保健協力センター，（一社）日本学校歯科医会 共同調査 2014年3月調査
*不明を除く．さらに，「フッ化物洗口実施状況」が未回答のため，山形県（86施設，9,306人）を除く．
†フッ化物洗口方法が多岐にわたり，一般的に用いられる「週あたりの洗口回数」と「洗口液中のフッ化物濃度」が合致しない施設がある．

　2013年8月20日に，「ミラノール®顆粒11％」と「オラブリス®洗口用顆粒11％」の添付文書の改訂が公表された[4]．これにより，両フッ化物洗口製剤は用法・用量の追加などに伴う改訂によって900 ppmFに調製して週1回に適応できる方式が認可されたことになる．製剤の組成の変更はないため，1包に対するこれまでの水の量を減じて調製する．週1回法の用法・用量，追加承認により，小・中学校におけるフッ化物洗口剤の選択の幅が広がった．
　顆粒を溶かす必要がない溶液の製品も，ボトルに溶液が入った製品や1人1回分のポーションタイプの製品が販売されている．医療用医薬品だが劇薬ではなく，利用が簡便であるが，価格が高価である．なお，毎日法のフッ化物洗口液は誰でも購入できるOTC医薬品の洗口液の製品が販売されている．こちらも顆粒を溶かす必要がなく簡便だが，価格が高価である．こうした製品は，自治体の集団フッ化物洗口の導入期に利用して，慣れてきたら価格が安価な顆粒の製品に変更して実施を拡大するといった利用方法が考えられる．
　日本学校歯科医会は，「フッ化物洗口薬剤についての日本学校歯科医会の見

解」[5]で,「現在,フッ化物洗口薬剤については,許可・承認を受けた医薬品としたものがあり,学校という教育の場で使用するにあたっては,医薬品として許可・承認されたフッ化ナトリウム製剤を使用することが望ましいと考えておりますので,『フッ化物洗口薬剤に係るお知らせ』をご参考ください」と記載している.なお,国においてはフッ化物洗口を実施している自治体に対し,その体制整備に係る費用(使用する薬剤費を含む)について財政支援を行っている.

● フッ化物洗口の推進に関する基本的な考え方とフッ化物洗口マニュアル（2022年版）

2022年12月に,厚生労働省医政局長と健康局長から各都道府県知事宛に『「フッ化物洗口の推進に関する基本的な考え方」について』[6]が通達され,「集団フッ化物洗口においては,原則として,医薬品を使用すること.なお,医薬品を使用する場合は添付文書の記載に従い,適切なフッ化物洗口を実施すること」と記載されている.また,『フッ化物洗口マニュアル（2022年版）』[7]では,「第二部　フッ化物洗口エビデンス集」で,

- 学校での集団フッ化物洗口は幼児・学童期のう蝕を予防するために推奨される.
- フッ化物洗口は成人・高齢期の根面う蝕を抑制するために推奨される.
- 集団フッ化物洗口はう蝕の健康格差を縮小するために推奨される.
- フッ化物洗口は医療経済的観点から推奨される.

ことが示されている.さらに,「第三部　フッ化物Q＆A」では,フッ化物洗口に関してよく出される質問とそれに対する回答がQ＆A形式でまとめられているが,『フッ化物洗口・ファクツ2022 第2版』[8]には,6分野,134の質問項目とその回答,解説が網羅されているので,今後の集団や個人におけるフッ化物洗口の普及啓発に活用していただければ幸いである.

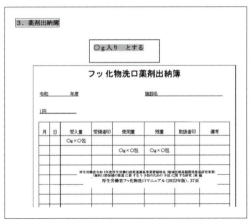

図1　フッ化物洗口薬剤出納簿

●適正な使用薬剤の調剤と保管，および洗口液の調製と安全管理体制

1）使用薬剤の調剤

　使用薬剤の処方および調剤は，歯科医師，医師，および薬剤師の責任のもとに適切に実行されており，今後とも同様に行われることになる．

2）使用薬剤の保管

　「フッ化ナトリウムを含有する医薬品」として，たとえば9,000 ppmのフッ化物歯面塗布剤，フッ化物洗口に使用するフッ化ナトリウム溶液などは普通薬である．ただし，水に溶かす前の顆粒製剤（ミラノール®顆粒11％，オラブリス®洗口用顆粒11％）は「劇薬」のため，処方された顆粒製剤は小児や児童が手に触れない場所に保管する．その管理には施設や学校の実態に応じた取扱いの責任者が決められ，施錠による保管設備を設ける．また，フッ化物洗口薬剤出納簿（**図1**）を作成し，受入量，使用量，残量を記録し，安全管理に努める．

3）フッ化物洗口液の調製

　顆粒製剤は，水に可溶性である．しかしながら，フッ化物洗口液の調製にあたっては，「濃度ムラ」をなくすために，約1分間強く容器を振って十分に溶かすよう心がけるべきである．

集団フッ化物洗口を実施する場合，養護教諭によるフッ化物洗口液の調製は，国の見解により適法である[9]．また，保健担当の教職員がフッ化物洗口液を調製することは，家庭でフッ化物洗口をする場合に保護者が薬剤を溶解していることに準じるならば，これも不適切なことであるとはいえない．

4）フッ化物洗口液の管理

　フッ化物洗口液に対しては，通常の清潔や衛生上の観点にならって適切な安全管理を行う．例えば，フッ化物洗口液は，なるべく一回ごとに使い切ることができるように，調製するフッ化物溶液の量を調整して長期の保管を避けるようにする．

●公衆衛生と安全性に配慮したフッ化物洗口の管理体制

　集団フッ化物洗口には，う蝕予防に対する高い費用対効果，安全性，簡便性および公平性という公衆衛生的な特長が備わっている．日本歯科医学会（1999年），日本歯科医師会（2000年），日本口腔衛生学会（2002年），厚生労働省（2003年），日本学校歯科医会（2005年）は，特に小児期において罹患率が高い疾患に対する予防手段として，集団フッ化物洗口を推奨している．

　また，学校をベースにした集団フッ化物洗口は学校歯科保健管理の一環として実施され，担任教諭の理解を促し，その監督について認識してもらう必要がある．さらに，子どもたちがフッ化物洗口の事前の準備から後片付けに関わることは，保健教育の一環であると位置づけられるので，これは子どもたち自らの健康づくりを支え合う絶好の協働の機会となる．

　フッ化物洗口の手順および注意点としては，

　①フッ化物洗口は，毎日または週1回の頻度で，フッ化物洗口液5～10 mLを口に含み，30秒～1分間のブクブクうがい後に吐き出す．この一連の動作を確実にするため，フッ化物溶液による洗口に先立って水で練習する．

　②フッ化物洗口後には，30分間の飲食を避けることが重要であり，そのために保育・教育上，適当な時間帯を確保して実施する．

　フッ化物洗口液の濃度は，歯のフッ素症を起こさない安全な範囲に調製してあるので，4歳児であっても実施できる．その飲み込みについては，国内の4歳，5歳児796名を対象とした洗口後のフッ化物口腔内残留量に関する調査が

あり，安全に実施されることが証明されている[10]．

　2023年からWHOの必須医薬品（Essential Medicines）に追加されたフッ化物洗口は，6歳以上で使うこととされている[11]．しかしながら，国や地域の実情を考慮しているWHO Global Oral Health Programmeから支援されたOral Health Country/Area Profile Projectとして，日本の4歳児からはじまる園や学校での集団フッ化物洗口も紹介されている[12]．さらに2023年のWHOの必須医薬品のフッ化物洗口の解説の中では，6歳以上で使うとしつつも，日本の4歳から14歳へのフッ化物洗口を適応した論文[13]を引用して，日本の集団フッ化物洗口を紹介している[11]．

　安全面について検討すると，4歳児が毎日法でフッ化物洗口を実施した場合の，飲食物などからの摂取も考慮したフッ化物の摂取量は，摂取許容量を大きく下回る計算となる[14]．1970年代から今日に至るまで，4，5歳児に対するフッ化物洗口の実践は世界中で日本での経験が最も豊富である．これまでの安全性や有効性の日本におけるエビデンスを踏まえ，WHOの必須医薬品の解説の中でこのような紹介がなされていると考えられる．

　今後とも集団フッ化物洗口は，日本の保育所・幼稚園や学校生活を営む小児の歯の健康づくりのため，適正管理のもとに活用される有益なう蝕予防手段である．

（石塚洋一・田口千恵子・濃野　要・八木　稔・
木本一成・田浦勝彦・相田　潤・小林清吾）

文　献

1) 厚生労働省．各都道府県におけるフッ化物洗口の実施状況について（平成30年度）．
https://www.mhlw.go.jp/content/000711481.pdf（2024年2月17日アクセス）
2) NPO日F：施設における集団応用フッ化物洗口実態調査2014（方法・費用等）．NPO日F通信 No.54，5頁，2016．
3) 薬事法の一部を改正する法律等の施行等についての一部改正について（平成24年3月16日 薬食発第0316第2号，厚生労働省医薬食品局長通知）．
4) 独立行政法人医薬品医療機器総合機構ホームページ：医療用医薬品の添付文書情報．
(https://www.info.pmda.go.jp/psearch/html/menu_tenpu_base.html)（2024年2月17日アクセス）
5) 日本学校歯科医会．フッ化物洗口薬剤についての日本学校歯科医会の見解．
https://www.nichigakushi.or.jp/news/180305.html（2024年2月17日アクセス）
6) 厚生労働省．「フッ化物洗口の推進に関する基本的な考え方」について．
https://www.mhlw.go.jp/content/001037972.pdf（2024年1月22日アクセス）
7) 厚生労働省令和3年度厚生労働行政推進調査事業費補助金（地域医療基盤開発推進研究事業）「歯科口腔保健の推進に資するう蝕予防のための手法に関する研究」班 編．フッ化物洗口マニュアル（2022年版）．
https://www.mhlw.go.jp/content/001037973.pdf（2024年1月22日アクセス）
8) 晴佐久 悟，石塚洋一，廣瀬晃子，田浦勝彦，筒井昭仁　編著．フッ化物洗口・ファクツ2022 第2版：口腔保健協会（東京），2023．
9) 第百二回国会衆議院会議録：フッ素の安全性に関する質問主意書答弁　官報号外．1985年3月8日．
10) Sakuma S, Ikeda S, Miyazaki H, Kobayashi S. Fluoride mouth rinsing proficiency of Japanese preschool-aged children. Int Dent J. 2004；**54**（3）：126-30.
11) WHO, 2023-eml-expert-committee：12. Regulatory status, market availability and pharmacopoieal standards.
https://cdn.who.int/media/docs/default-source/essential-medicines/2023-eml-expert-committee/applications-for-new-formulations-strengths-of-existing-listed-medicines/f5b_fluoride-mouthrinse.pdf（2024年7月29日アクセス）
12) Project OHCAP：Japan‐A school-based fluoride mouth rinse programme for preschool children.
https://capp.mau.se/bank-of-ideas/japan-a-school-based-fluoride-mouth-rinse-programme-for-preschool-children/（2024年7月28日アクセス）
13) Komiyama K, Kimoto K, Taura K, Sakai O. National survey on school-based fluoride mouth-rinsing programme in Japan：regional spread conditions from preschool to junior high school in 2010. Int Dent J. 2014；**64**（3）：127-37.
14) 石塚洋一，松山祐輔，廣瀬晃子，濃野　要，田口千恵子，中川哲也，荒川浩久，森田　学，相田　潤．近年のフッ化物応用をめぐる科学的思考（第一報）：WHOの推奨と日本の状況の整理．口腔衛生学会雑誌．2025；**75**（2）：68-76.

Chapter 3

むし歯予防のための集団フッ化物応用の必要性

Q むし歯予防のためのフッ化物の応用は，個人がそれぞれ個別に行うべきであって，集団で行う必要はないのではありませんか？

A もちろん，フッ化物配合歯磨剤の使用，フッ化物紙面塗布，フッ化物洗口などによるむし歯予防は，個別での利用もお勧めします．しかし，学校（例：フッ化物洗口）や地域（例：水道水フロリデーション）など集団で行うことによって，家庭では経済的事情や忙しさなどの理由で利用できない人々に恩恵が届くようになります．集団で行うことにより，自己責任に終わらせず，誰にでも行き届き健康格差を減らす方法になるのです．

本稿では，むし歯予防のための集団フッ化物の利益について，公衆衛生学的立場から解説する．

●学校保健活動としての視点から

学校で行われるフッ化物応用としては，フッ化物洗口がよく用いられている．学校保健活動は「保健教育」「保健管理」「組織活動」という3つの柱で成り立っている．そのなかで「保健管理」とは，「子どもが健康診断の体験を通して，自分の健康状態を具体的に知り，その結果を子どもが自分の健康課題ととらえて，自分で解決する力を身につけるように支援することをねらいとしている」ことから，フッ化物洗口は一般的に「保健管理」として位置づけられている．

一方，フッ化物洗口の実施を決定するにあたっては，学校保健委員会の場において，さまざまな議論が行われること，また，保護者の理解を得るために，

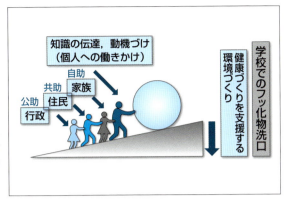

図1 ヘルスプロモーション（島内憲夫：ヘルスプロモーション活動の概念図．日本ヘルスプロモーション学会，1997．吉田浩二，藤内修二：保健所の今後の母子保健活動がめざすもの．市町村における母子保健の効率的実施に関する研究，1995．をもとに作成）

PTAなどの組織を通じて，保護者に対してフッ化物洗口の効果や安全性についての情報が伝えられることなどによって「組織活動」の活性化がもたらされる．また，児童・生徒が自ら洗口という行動を起こすためには，歯の大切さや科学的な根拠に基づくう蝕予防法について学習することが大切なことから「保健教育」の取り組みにもつながり，結果として，学校保健の3本柱である「保健教育」「保健管理」「組織活動」すべての活発化がもたらされることになる．さらに，フッ化物洗口を実施すると，確実なう蝕予防効果がもたらされることから，児童・生徒だけでなく学校保健関係者が学校保健活動への自信や達成感を実感でき，さらなる保健活動につながっていくことが十分に考えられる．

● ヘルスプロモーションの視点から

　1980年代後半以降，「生活習慣」に着目した疾病予防の重要性が共通理解されるようになり，国は「生活習慣病」という概念を導入し，自らの努力で生活習慣を改善することで疾病を予防しようという運動を開始した．

　一方，1986年WHOはオタワ宣言においてヘルスプロモーションを提唱した．ヘルスプロモーションでは，個人の責任では解決することができない生活習慣の背景にある生活環境要因を重視し，個人への働きかけに加えて，健康的な生活習慣を容易にする社会環境整備の重要性を提言している[1]．わが国においても，2000年に健康日本21が策定され，このヘルスプロモーションの理念に基づいた社会環境整備の重要性が確認された．

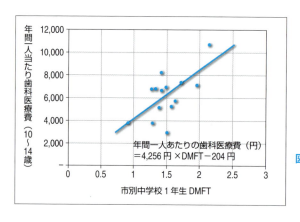

図2 年間一人平均歯科医療費（10～14歳）と，中学校1年生DMFTとの関連性（2006年）

う蝕も望ましい生活習慣によって予防可能なことから，生活習慣病ととらえることができるが，家庭教育力，経済的問題，伝統的習慣など個人の責任では解決することができない生活習慣の背景にある生活環境要因（健康の社会的決定要因）が存在する．学校などの施設でのフッ化物洗口の実施は，健康的な生活習慣を容易にする社会環境整備の一つとして，参加する生徒すべてがそれぞれのもっている社会的要因にかかわらず，安価で，安全で，そして継続的にう蝕予防習慣を実践できる利点がある（図1）．

● 医療経済的および経済格差の視点から

図2は，滋賀県内市別の中学校1年生DMFT指数と市別の10～14歳の一人平均歯科医療費の関連性を表している．DMFT指数と一人平均歯科医療費は有意に正の相関を示し，その回帰直線は「年間一人あたりの歯科医療費（円）＝4,256円×DMFT－204円」で示された．これは，一人平均としてう蝕が1本減少すれば，一人平均年間歯科医療費が4,256円減少することを表している．

仮に，人口12万人，年間出生数1,000人，中学校1年生のDMFT指数が2程度の市でフッ化物洗口が実施され，DMFT指数が1に減少したとすれば，中学校1年生だけで年間歯科医療費が4,256,000円減少することとなる．全学年，そして将来のう蝕に関連した歯科医療費を勘案すると，フッ化物洗口による歯科医療費の削減への寄与はきわめて大きいと考えられる．

また，厚生労働省の推計によると，平成22年度の一人平均生涯医療費は約

2,400万円となっている．歯科医療費の占める割合は約7％であることから，歯科医療費の一人平均の生涯負担額は約168万円となる．この数字は，う蝕のない者からきわめて多い者までの平均額である．う蝕は低所得者など社会的弱者に多いこと，歯科医療費の占める疾患は，直接，間接を含めてう蝕に由来する診療項目が最大となっていることを考え合わせると，社会的弱者ほど生涯にわたり過大な歯科医療費の負担を強いられることになる．

フッ化物を集団応用することによって，個人のもっている生活環境要因にかかわらずう蝕が予防できれば，将来における経済格差問題へも寄与できることがわかる．

●「生活習慣病」という概念から「生活環境病」という概念へ

ヘルスプロモーションとは，生活習慣の改善を個人への働きかけだけでなく，健康的な生活習慣を可能にする社会環境整備との組み合わせと考えることができる．学校などでのフッ化物洗口の実施は，ヘルスプロモーションの理念でいえば，フッ化物洗口という個人の生活習慣が容易に継続的に実践できるよう環境的整備を行うものである．

しかし，さらに環境要因を重視し，個人の継続的な実践を経ずともう蝕の予防が可能となるフッ化物の応用が海外ではなされている．これが，フロリデーションである．フロリデーションを実現できれば，「この町で生まれ，この町で育った子どもたちは，それだけで生涯を通じてむし歯が少ない」ということが可能となる．

いま，個人の生活習慣に着目した「生活習慣病」という概念から，健康的な社会環境づくりを重視した「生活環境病」という概念が提案されている[2]が，これからのう蝕予防においても「生活環境病」という概念の導入が重要と考える．

（井下英二・相田　潤）

文献
1) 日本免疫学監修．疫学の事典．2023．朝倉書店．
2) 田上豊資：「生活習慣病」から「生活環境病」へのパラダイム・シフト．保健師ジャーナル，**68**（8）：677-685, 2012.

Chapter 4

フッ化物応用の有効性

 わが国の永久歯う蝕が減少してきているのに，さらにフッ化物応用の必要がありますか？

 フッ化物配合歯磨剤の普及によりう蝕は減少してきています．しかし，乳歯にはフッ化物歯面塗布，永久歯にはフッ化物洗口を併用すると，より高いう蝕抑制効果が得られます．また，う蝕罹患に格差のある地域にフッ化物洗口を集団で応用することは有効です．

● フッ化物応用の有効性

　わが国のフッ化物応用によるフィールド研究は，1970年代にフッ化物配合歯磨剤，フッ化物歯面塗布，1970〜1985年頃にフッ化物洗口が多く行われた．それぞれのフッ化物局所応用による高いう蝕予防効果が報告されている．また，1990年代に乳歯う蝕予防を目的として歯ブラシゲル法によるフッ化物歯面塗布が年4回法で1歳から3歳まで行われ，高いう蝕予防効果を報告している．しかし，これらの予防効果が報告されても，わが国ではフッ化物局所応用が爆発的に普及することはなかった．

　第44回日本口腔衛生学会（札幌：1995年）において日本口腔衛生学会フッ化物研究委員会（現フッ化物応用委員会）が札幌宣言「歯磨剤メーカーは可能な限りすべての製品にフッ化物を配合する．あわせて歯科専門家は歯磨剤ならびにフッ素の有効性をアピールするよう努力する」を示した．これがきっかけになり，歯磨剤メーカーが自社の売れ行きのよい製品にフッ化物を配合した．その結果，フッ化物配合歯磨剤の市場占有率が71％（1998年）に上昇した．その後，健康日本21（2000年）が示されたことによって，わが国でのフッ化物普及状況は大きく変化した．また，厚生労働科学研究費で進められていた

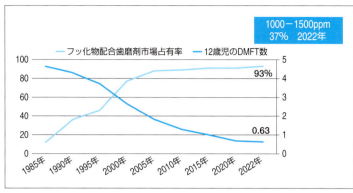

図1 フッ化物配合歯磨剤の市場占有率と全国平均の12歳児のDMFT指数の推移（1990〜2022年）
1990〜1994年　（公財）ライオン歯科衛生研究所調べ
1995〜2018年　ライオン（株）調べ
2019年〜　　　日本歯科工業会資料
　　　　　　　学校保健統計調査

「フッ化物の総合的な研究」（1999〜2011年度）から，国の歯科保健政策上の重要な指針として「フッ化物洗口ガイドライン」（2003年）は，厚生労働省医政局長，健康局長の連名による通知が，各都道府県知事に出されたこともフッ化物洗口の普及を後押した．

その結果，近年ではフッ化配合歯磨剤は市場占有率93％（2022年）（図1），フッ化物歯面塗布経験者も調査するごとに上昇，フッ化物洗口は集団応用の報告（図2）（個人応用している人は含まない）だけで23万人（2000年）から157万人（2019年）と6.8倍に増加している．わが国のフッ化物応用の普及率がこのような背景にあることから，それぞれのう蝕予防効果を純粋に評価することが困難な状況にある．そこで今回，グローバルな視点からわが国で用いられているフッ化物局所応用の効果を評価した．

●フッ化物配合歯磨剤 (図1)[1,2]

わが国のフッ化物配合歯磨剤の市場占有率（ライオン歯科衛生研究所）は，1995年48％，2000年77％，2005年89％と10年で1.8倍増加した．2010年89％，2015年90％，2020年は91％，2022年93％とわずかに増加している．また，2022年の市場占有率93％中1,400〜1,500 ppmの歯磨剤が37％を占めて

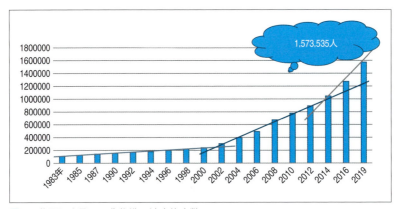

図2 集団によるフッ化物洗口法実施人数
NPO 法人日 F（1983 年～2016 年）
厚生労働省（2019 年）

いる．一方，12 歳児の DMFT 指数（学校保健統計調査）は，1995 年より 2015 年までの 20 年間で 3.74 から 0.9 まで減少した．特に，2000 年以降フッ化物配合歯磨剤の普及率が 77％ となった頃から DMFT 指数が 5 年間に 1.0 減少し，フッ化物配合歯磨剤の普及率が 88％ から 91％ の 2015～2020 年では DMFT 指数の減少率は，鈍くなったが減少し続けている．これらのことから，フッ化物配合歯磨剤の普及率が小児永久歯う蝕の減少傾向に影響をしていることが示唆され，今後 1400～1500 ppm のフッ化物配合歯磨剤の普及率が成人，高齢者のう蝕に影響することが期待される．特に，永久歯の根面う蝕予防効果も高いと報告されており，セルフケアとしてのフッ化物配合歯磨剤の応用は生涯を通じて推奨される．

●フッ化物歯面塗布[1,3]

乳歯う蝕対策として，地域歯科保健に組み込まれて適用された場合の効果が 1990 年代に報告され，う蝕予防効果が 52～77％ を示した．また，フッ化物歯面塗布回数（年 4 回）が多くなる程，一人平均 dmf 歯数が改善されると報告されている．このことから，わが国では，フッ化物洗口を実施できない年齢での乳歯う蝕予防法としてフッ化物歯面塗布が推奨される．

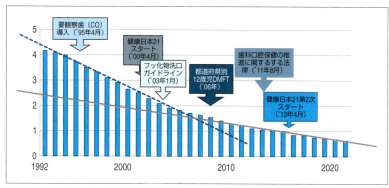

図3　全国平均12歳児DMFT指数の推移（1992〜2021年）
（学校保健統計調査）

●フッ化物洗口[1,4〜6]

　12歳児のDMFT指数（学校保健統計調査）は，1995〜2005年まで急激に減少，2006年から減少率が緩やかになったものの，2016年には1.0以下を示し，全国的に12歳児のDMFT指数は減少している（図3，4）．

　そこで，今回，口腔保健条例の学童期のう蝕予防に，フッ化物洗口を挙げ，フッ化物洗口を積極的に導入している都道府県，市町村のDMFT指数の変化からう蝕予防効果を評価した．

　佐賀県は1990年から数年間，3歳児のdmft指数が全国ワースト1位を継続していた．このような背景から，保育所（園）から小中学校までの期間，フッ化物洗口を取り入れることが謳われた．乳歯う蝕予防は，フッ化物歯面塗布，永久歯う蝕予防は，フッ化物洗口を実施するプロジェクトを開始した．特にフッ化物洗口は，年度ごとにフッ化物洗口実施人数の目標値を定め事業を展開した．その結果，開始当初フッ化物洗口実施人数は，約1,000人程度であったが，2010年では小学校の86％，2020年では（97％）に増加した（図5）．その結果，12歳時のDMFT指数は，洗口実施人数が増加するに伴い減少し，2010年には1.0，2020年には0.5まで減少している．

　秋田の県職員（歯科医師）は，フッ化物洗口を積極的に導入していこうと考え，フッ化物洗口先進県新潟へJR羽越線で向かう途中，脱線・転覆事故（2005年12月）に遭遇し亡くなった．秋田県では，県職員の意思を次いで，フッ化洗口導入に力がそそがれた．その結果，2010年ではフッ化物洗口実施率38％，

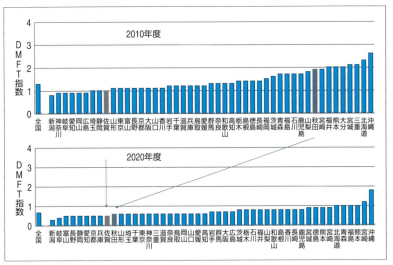

図4 都道府県別12歳児DMFT指数（学校保健統計調査）

図5 佐賀，秋田および新潟県のフッ化物洗口人数実施率と12歳児DMFT指数の推移（学校保健統計調査）

DMFT指数は，全国平均の1.3よりかなり高い1.9を示していた．しかし，2020年には，フッ化物洗口実施率95％と増加し，DMFT指数は，全国平均よりわずかに低い0.6にまで減少した．

佐賀，秋田県では，積極的にフッ化物洗口を取り入れた結果，2020年度の都道府県別DMFT指数は，全国平均より低い値を示している．

一方，新潟県では，1970年弥彦小学校に新潟大学予防歯科学教室が導入して

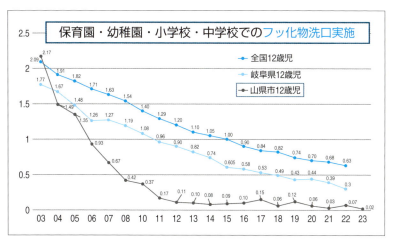

図6 12歳児のDMFT指数の推移（全国，岐阜県，山県市）
山県口腔保健協会

以来，県歯科医師会，県行政，県教育委員会などがサポートし，フッ化物洗口の普及に尽力した．1998年7万人規模で行われてきたが，直近の調査ではフッ化物洗口実施率は，87％になり，学校保健統計調査12歳児のDMFT指数は，16年連続して全国1位を維持しており，2020年は0.3を示した．

岐阜県の口腔保健条例は，学童期のう蝕予防にフッ化物応用としているが，山県市の歯科保健条例には，学童期のう蝕予防にフッ化物洗口を挙げている．岐阜県下の山県市は，2004年からすべての保育園，幼稚園において250 ppm 週5回法，小学校，中学校では450 ppm，週1回法で開始した．その結果，フッ化物洗口開始7年後の2011年12歳児のDMFT指数は0.11を示した（図6）．2012年から2020年まで山県市の12歳児DMFT indexは，0.15〜0.06を示した．山県市では，2020年からのコロナ下においても，感染に配慮してフッ化物洗口を継続，その結果，2023年のDMFT indexは，0.03を示した．

●まとめ

わが国の小児のう蝕は減少傾向にある．しかし，乳歯う蝕罹患状況に地域格差がみられる．このことから罹患傾向の高い地域では，フッ化物歯面塗布を萌出時から開始し，実施回数を多くすることが有用と考えられる．

永久歯う蝕罹患状況は，減少傾向にあるが47都道府県には地域格差が認められる．また，それぞれの都道府県においてもさまざまな社会的因子から各市町村のう蝕罹患傾向に格差が認められる．わが国では，諸外国で実施されているフロリデーションがまだ実施されていないため，この差を解消するには，集団によるフッ化物洗口導入が有効と考える．また，生涯を通じたフッ化物配合歯磨剤の利用が奨められる．

（磯崎篤則・大橋たみえ・木本一成）

参考文献
1) 日本むし歯予防フッ化物協会 編．日本におけるフッ化物製剤（第10版）―フッ化物応用の過去・現在・未来―．口腔保健協会，2022年．
2) フッ化物応用研究会 編．う蝕予防のためのフッ化物配合歯磨剤応用マニュアル．社会保険研究所，2006年．
3) フッ化物応用研究会 編．う蝕予防のためのフッ化物歯面塗布実施マニュアル．社会保険研究所，2007年．
4) フッ化物応用研究会 編．う蝕予防のためのフッ化物洗口実施マニュアル（「フッ化物洗口ガイドライン」収載，社会保険研究所，2003年．
5) 日本口腔衛生学会 フッ化物応用委員会 編．フッ化物応用の科学．口腔保健協会，2006年．
6) 厚生労働省令和3年度労働行政推進調査事業費補助金（地域医療基盤開発推進研究事業）「歯科口腔保健の推進に資するう蝕予防のための手法に課する研究」班 編．フッ化物洗口マニュアル　健康格差を減らす，保育園・幼稚園・こども園，学校や施設などにおける集団フッ化物洗口実践．
https://mhlw-grants.niph.go.jp/system/files/report_pdf/202122067A-sonota5_0_1.pdf

Chapter 5

フッ化物応用における環境汚染の危険性

 集団でのフッ化物洗口は，環境汚染になりませんか？

 学校においても，フッ化物洗口後に排水された水のフッ化物イオン濃度は水質汚濁防止法，水質基準の濃度より低く，環境汚染の危険性はありません．

インターネット上でみられるフッ化物応用に反対するグループのサイトにおいて，「フッ化物応用における環境汚染の危険性」を主張する議論には，典型的というか共通した特徴がみられる．

一つは，1970年代から継続して開催されてきた環境問題に関する重要な国際会議で，フッ素化合物が規制すべき危険な化学物質の対象となったとし，あたかもう蝕予防に使用されるフッ化物が規制すべき化学物質となったとするもの．そして，何の脈絡もなくわが国が経験した水俣病などの悲惨な公害とつなげているものも多い．もう一つは，環境汚染を防ぐことを目的とした水質汚濁防止法や環境基本法などの法律にう蝕予防のためのフッ化物応用が違反しているような主張である．

日本弁護士連合会の「集団フッ素洗口・塗布の中止を求める意見書」（日弁連「意見書」）も同様であるが，これらの法律の規制対象や実際の排水濃度と基準値が意図的に無視されていると思われるような議論である．いずれにしても，う蝕予防で使用されているフッ化物と環境汚染の可能性があるフッ化物の種類と濃度が区別されていないというのが共通点である．

●フッ化物と環境汚染の可能性

1972年の「国連人間環境会議」以来，地球規模の環境破壊を防ぐための国際

的組織がつくられ，その成果の一つである京都議定書にみられるように地球環境問題については長く議論されてきた．その中心的課題は地球温暖化防止で，規制すべき地球温暖化物質としては一貫して有機フッ素化合物が挙げられている．スプレーや溶剤などに使用されてきたフロンガスと総称されるクロロフルオロカーボン（CF_2Cl_2，$CFCl_3$）や液晶などの製造過程で使用される6フッ化硫黄（SF_6）などである．また，環境残留性，生物蓄積性，毒性をもつことで近年問題になっている残留性有機汚染物質である[1]．

なかでも有機フッ素化合物は特に問題で，衣類，絨毯，紙などの防汚・撥水加工に使用されるパーフルオロオクタンスルホン酸（PFOS）やテフロン加工として調理器などに使われるパーフルオロオクタン酸（PFOA）などがある．しかし，これらの有機フッ素化合物は人工的に意図的に合成される物質で自然には存在せず[1]，う蝕予防に応用されるフッ化ナトリウム（NaF）などの無機化合物のフッ化物とはまったく異なるものである．それらの混同は，食塩（NaCl）を利用すると猛毒のポリ塩化ビフェニル（PCB）やダイオキシンが生成されると主張するようなものである．

日弁連「意見書」にもあったが，世界的に統一されたルールを用い，有害な化学品を危険性，有毒性の種類と程度により分類し，ラベル表示することで「化学物質の取り扱い」方法の注意を喚起し，人々の健康を守り，生活環境の悪化を防ぐことを目的とするGHS分類（化学品の分類およびラベルに関する世界調和システム）は，「物理化学的危険性」「健康に関する有毒物」「環境に対する有害性」のカテゴリーについて評価し，公表するシステムである[2]．フッ化ナトリウムも分類の対象になっているが，少なくともう蝕予防のために使用されているフッ化ナトリウムは薬事法に規定され安全性が確保されていることや，使用濃度からGHS分類の対象とはならない．「環境有害性分類」についても「急性毒性；区分3」と分類されているが，フッ化物イオン濃度10～100 mg/Lの環境に長時間暴露したときに「水生生物に対し有害である可能性がある」とするもので，応用頻度や実際の排出フッ化物イオン濃度（0.2 mg/L）から考えて学校などで行われるフッ化物洗口により起こることはない．「慢性毒性；区分3」についても「急性毒性が区分3」なので，その状態が長期に継続した場合に影響があるということであって，もとよりう蝕予防のためのフッ化物応用については「急性毒性；区分3」の前提が成立していないので「慢性毒性；区分3」

表1 フッ化ナトリウムのGHS分類結果

危険・ 有害性 項目	分類 結果	シンボル	注意 喚起 用語	危険 有害性 情報	分類根拠・ 問題点
水生環境 有害性 （急性）	区分3	—	—	水生生物 に有害	甲殻類（ミシッドシュリンプ）の96時間EC50＝23.3 mg/Lから，区分3とした
水生環境 有害性 （慢性）	区分3	—	—	長期的影響により水生生物に有害	急性毒性が区分3，生物蓄積性が低いもの，水中での挙動が不明であるため，区分3とした

（製品評価技術基盤機構[3]をもとに作成）

についてもあてはまらない（**表1**）[3]．

●水質汚濁防止法，下水道法違反の可能性

　水質汚濁防止法および下水道法で排水基準（フッ化物イオン濃度8 mg/L以下）が決められているのは工場・事業所などの「特定施設」で，学校については大規模な給食施設あるいは200人以上の屎尿処理施設を独自にもっていることなどが条件になる．現在の下水道普及率（73.3％），先の施設の規模などを考えても，フッ化物洗口を行っている学校で「特定施設」に該当するものはほとんどないと思われる．フッ化物洗口が実施されている保育所（園）や小中学校は水質汚濁法・下水道法の対象に含まれていない．

　フッ化物洗口を行っている新潟の小学校で，最もフッ化物イオン濃度が上昇すると考えられる時間帯に排水のフッ化物イオン濃度を測定したら0.2 mg/Lであったとの報告がある（**図1**）[4]．フッ化物洗口によって直接公共下水道に排水されるフッ化物イオン濃度は基準値8 mg/Lの40分の1である．また，環境基準のフッ化物イオン濃度0.8 mg/Lについても，排水される水のフッ化物イオン濃度は0.2 mg/Lと基準の1/4であるし，海水はもとより1.3 mg/Lのフッ化物イオン濃度である．学校におけるフッ化物洗口が法律の規定対象外であること，実際に排出されるフッ化物イオン濃度から考えても水質汚濁防止法・下水道法に違反するおそれはなく，また環境汚染の危険性も考えられない．

〈鶴本明久〉

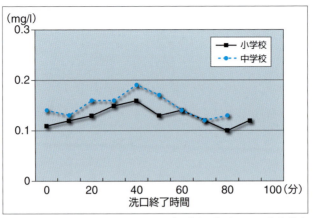

図1 フッ化物洗口に伴う学校下水(総排水口)中のフッ化物濃度
(新潟県ほか,1979[4~6])

文 献

1) 独立行政法人国立環境研究所:有機フッ素化合物等POPs様汚染物質の発生源評価・対策並びに汚染実体解明のための基盤技術開発に関する研究.国立環境研究所得別研究報告書,平成15~17年度.
2) 環境省:GHS化学品の分類及び表示に関する世界調和システムについて.
(http://www.env.go.jp/chemi/ghs/p01.html)(2012年6月1日アクセス)
3) NITE独立行政法人「製品評価技術基盤機構」化学物質管理分野:GHS分類結果(フッ化ナトリウム).
(http://www.safe.nite.go.jp/ghs/0479.html)(2012年6月14日アクセス)
4) 新潟県ほか.フッ素洗口の手引き.質問5.フッ素洗口の実施により長い年月の間に,学校の周囲等に下水の汚染等が起こらないでしょうか.1979,37-38.
5) 飯塚喜一,上田喜一,境 脩,美濃口玄.座談会 フッ素問題を考える:特集/フッ素<上>.歯界展望.1977;50(5)848.
6) 堀井欣一.フッ素と環境:特集/フッ素<下>.歯界展望.1977;**50**(6):1056.

Chapter 6

フッ化物応用と人権問題，自己決定権，インフォームド・コンセント，プライバシー

Q フッ化物応用の自己決定権を阻害していませんか？

A 医療の場で行われるフッ化物の応用はもとより，学校や園で実施されるフッ化物洗口は，自己決定権を阻害しないように配慮されています．保健管理の一環として実施され，適切な説明と承諾の手続きを踏み，希望しない者が不利益にならないように配慮しています．

　日本弁護士連合会から提出された「集団フッ素洗口・塗布の中止を求める意見書」に対する日本口腔衛生学会の「解説」のなかから，本稿では「フッ化物応用と人権問題，自己決定権，インフォームド・コンセント，プライバシーの尊重」の件について，詳しく解説を加える．

●フッ化物応用と人権問題

　集団フッ化物洗口は，地域の学校や園などのように法律に基づき機能的に整備された教育機関のなかで，説明と承諾（インフォームド・コンセント）の手続きを踏んだうえで実施される．平成15年1月14日に厚生労働省より示された「フッ化物洗口ガイドライン」[1]によれば，フッ化物洗口の実施に際しての自己決定権の保障（日本国憲法13条）を担保するインフォームド・コンセントについて，「フッ化物洗口を実施する場合には本人あるいは保護者に対して具体的方法，期待される効果，安全性について十分に説明した後，同意を得て行う」としている．

　学校で行われる歯科保健活動は歯科保健教育，歯科保健管理，組織活動の3部門からなり，学校保健（安全）委員会，市町村によっては協議会や研究会な

> **世界保健機関（WHO）憲章前文（1946年7月22日）**
>
> この憲章の当事国は，国際連合憲章に従い，次の諸原則がすべての人々の幸福と平和な関係と安全保障の基礎であることを宣言します．
>
> 健康とは，病気ではないとか，弱っていないということではなく，肉体的にも，精神的にも，そして社会的にも，すべてが満たされた状態にあることをいいます．
>
> （中略）
>
> 最高水準の健康に恵まれることは，あらゆる人々にとっての基本的人権のひとつです．
>
> 世界中すべての人々が健康であることは，平和と安全を達成するための基礎であり，その成否は，個人と国家の全面的な協力が得られるかどうかにかかっています．
>
> （中略）
>
> 各国政府には自国民の健康に対する責任があり，その責任を果たすためには，十分な健康対策と社会的施策を行わなければなりません．
>
> （後略）

図1 世界保健機関（WHO）憲章前文（日本WHO協会訳抜粋）

どの組織の管理の下で実施される．具体的には，学校歯科医が用量・用法を指示し，学校薬剤師が1回分ごとに調剤したフッ化ナトリウム試薬または承認されたフッ化物製剤を，学校や園の教師・保護者（父母）が定められた用法に従って指定された量の水道水で溶解し，その洗口液を用いて洗口する方法である．また，説明を受けたうえで，洗口を希望しない者に対しては，洗口事業に参加しないか，水道水を用いて同様の洗口を行う．

このように，専門家により用量・用法が基準化され，単純化された洗口というう蝕予防方法の介助を行うもので，学校で行うフッ化物洗口は保健管理の一環と考えるほうが妥当である[2]．そして，幼稚園や保育所（園）の場合も同様で，保健管理の実施方法は学校保健に準じている．一方，フッ化物歯面塗布は，最終的に歯科医師・歯科衛生士に委ねられた予防方法であり，フッ化物洗口とは異なり専門家が実施する．

以上のような，学校や園で行う集団フッ化物洗口，そしてフッ化物歯面塗布の場合も，用量・用法を守り，説明と承諾（インフォームド・コンセント）の手続きを踏んで行われる．したがって，説明を受けたうえでも希望しない者に対しては，水道水で洗口をしてもらうなどの配慮も可能であることから，一般的に人権が侵害されることはない．

> **憲法第 13 条**
> すべて国民は，個人として尊重される．生命，自由及び幸福追求に対する国民の権利については，公共の福祉に反しない限り，立法その他の国政の上で，最大の尊重を必要とする．

> **憲法第 25 条**
> すべて国民は，健康で文化的な最低限度の生活を営む権利を有する．
> 国はすべての生活部面について，社会福祉，社会保障及び公衆衛生の向上及び増進に努めなければならない．

図2　日本国憲法

●インフォームド・コンセントと自己決定権

　WHO 憲章の前文に，最高水準の健康を享受することはあらゆる人間の基本的権利で，それを成し遂げるには個人と国の両者の全面的な協力が不可欠で，国の責務であるとし（図1，日本 WHO 協会訳抜粋），また，日本国憲法第 25 条では，国民が健康な生活を営む権利と健康に生きる権利を保障している（図2）．そのようなことから，学校を含めた公共政策のなかで，目標値を定め，ヘルスプロモーションの考え方に則り，組織的に健康増進活動を進めることは望ましいことといえる．そして，健康活動に参加する人々の知る権利と自己決定については，日本国憲法第 13 条に基づき十分に尊重されなければならない．

　よって，集団フッ化物洗口への参加に際しては，「適切な説明に基づく情報を理解したうえでの自律的な同意」，文字通りインフォームド・コンセントが尊重されるべきであり，国民の生命，身体に直接関わる可能性のある政策については，行政機関として可能なかぎり説明する必要がある．フッ化物利用の普及推進のためにも，また，知る権利の侵害を防止するためにも，今まで行った情報提供にとらわれず，今後も幅広く積極的な情報提供を行っていく必要がある．

　学校や園における集団フッ化物洗口・塗布への参加・非参加に際しては，保護者（父母）だけでなく児童や生徒へのインフォームド・コンセントを原則として，教育的な配慮に基づき，年齢や理解度に応じて可能な範囲でインフォームド・アセントを行うなどの工夫が必要とされている．その結果として，個人の「希望調査書」による参加希望を基に決定している．したがって，インフォームド・コンセントに基づく自己決定権を尊重しているといえる．また，説明にあたっては，強要や不利益ならびに差別なく，安全性，必要性に関する議論も

含めて説明しているので問題ないと考える．

●プライバシーの尊重

　プライバシー権は日本国憲法第13条の幸福追求権に基づくもので，「公共の福祉」とともに個人の人権が尊重されるべきである．

　集団フッ化物洗口や塗布では，手続きの方法あるいは洗口の方法などにより，プライバシー権の侵害とならないよう実施しているので，直ちに侵害されているということはないといえる．しかし，個別に問題を生じる可能性が予測される場合などには，保護者・子どもたちの人権が侵害されることがないよう配慮するべきである．

（平田幸夫）

文　献

1) 厚生労働省医政局健康局長：フッ化物洗口ガイドライン．厚生労働省(医政発第0114002号，健発第0114006号)，平成15年1月14日．
2) 官報号外．第102回国会　衆議院会議録　第12号．昭和60年3月8日．

Chapter 7

フッ化物利用の安全性　①急性毒性

Q 1歳半の患者さんが，誤って1回分（1 mL）のフッ化物歯面塗布剤をすべて飲み込んでしまいました．急性中毒は起こりませんか？

A 急性中毒になることは考えられません．というのも，準備した1回分のフッ化物歯面塗布剤1 mLには9 mgのフッ化物が含まれ，1歳半のお子さん（体重は12 kg）の見込み中毒量（体重1 kgあたり5 mg以上のフッ化物を飲み込んだ場合）は，60（5×12）mgだからです．ただし，念のためカルシウムを多く含む牛乳などを摂取させて，様子をみてください．

●フッ化物局所製剤によるフッ化物急性毒性発現の可能性と実際

　一度に大量のフッ化物を摂取すると，急性毒性が発現する可能性がある．急性毒性の発現は摂取フッ化物量と体重とに関連する．日本のフッ化物歯面塗布剤のフッ化物濃度は9,000 ppmFであり，1 g（1 mLに相当）には9 mgFが含まれている．このフッ化物歯面塗布は，乳前歯群の萌出が完了している1歳児からの開始が推奨されている[1]．乳歯萌出直後からの開始が推奨されているフッ化物配合歯磨剤のフッ化物濃度は，最大で1,500 ppmFであり，1 g（1 mLに相当）には1.5 mgFが含まれている．4歳児からの開始が推奨されている毎日法のフッ化物洗口剤のフッ化物濃度は，最大で900 ppmFであり，1 g（1 mLに相当）には0.9 mgFが含まれている．

　これらの最大濃度のフッ化物局所製剤を一度に誤飲した場合の急性毒性発現の可能性を**表1**に示す．各症状の発現量の詳細については文献を参照されたい[2,3]．これを見るとわかるように，通常の使用では急性毒性の心配はない．フッ化物洗口は，実際には4歳（体重16 kg）からの開始なので，さらに安全

表1 フッ化物急性毒性の発現の可能性

症　状	発現量	体重10kgの1歳0カ月の子どもに発現する各製剤の摂取量[3*]
腹部症状[1*]	2 mgF/kg	フッ化物歯面塗布剤を2.2g（2.2mL）摂取 フッ化物配合歯磨剤を13.3g（13.3mL）摂取 フッ化物洗口剤を22.2g（22.2mL）摂取
見込み・推定中毒量[2*]	5 mgF/kg	フッ化物歯面塗布剤を5.6g（5.6mL）摂取 フッ化物配合歯磨剤[2*]を33.3g（33.3mL）摂取 フッ化物洗口剤を55.6g（55.6mL）摂取
確実な致死量[2*]	32～64 mgF/kg	フッ化物歯面塗布剤を35.6～71.1g（35.6～71.1mL）摂取 フッ化物配合歯磨剤を213.3～426.7g（213.3～426.7mL）摂取 フッ化物洗口剤を355.6～711.1g（355.6～711.1mL）摂取

[1*]　悪心，嘔吐，下痢などの腹部症状は，摂取したフッ化物と胃酸とが結合してフッ化水素が形成され，胃粘膜を刺激することにより生じる
[2*]　摂取した大量のフッ化物が胃腸から吸収されると，血中のカルシウムと結合し低カルシウム血症を呈し，心不整脈などが起こるため，医学的な全身管理が必要になる．さらに高濃度になると，直接フッ化物が細胞毒として作用し，心，腎，中枢神経に中毒作用を及ぼす
[3*]　摂取量は体重に比例するので，体重20kgの6歳児の場合は，各摂取量は2倍になる

性は高くなる．

　また，今までにこれらのフッ化物製剤のフッ化物によって副作用が生じたという報告事例はない．さらに，医療用医薬品であるフッ化物歯面塗布剤とフッ化物洗口剤は市販後調査が行われ再評価も受けているが，承認取り消しになったものはない．したがって，今後も引き続き急性毒性の発現を防止するには，実施の際に1人1回分のフッ化物製剤だけを準備し，残りは子どもの手の届かないところに保管することにかぎる．

●フッ化物局所製剤の再評価制度

　過敏症や急性毒性は，応用後まもなくして発現するため実施現場で把握できるし，医療用医薬品であるフッ化物洗口剤やフッ化物歯面塗布剤による副作用が疑われる場合は，医薬品，医療機器等の品質，有効性及び安全性の確保に関する法律（薬機法）第14条の4（再審査制度），第14条の6（再評価制度），第77条の4の2（副作用，感染症報告制度）において厳重な安全管理体制が整えられている[4]．

1）再審査制度

　新医薬品の承認時の有用性の判断が申請時の治験のみでは症例数が少ないことから，新医薬品承認取得企業が，有効性や安全性などを確認するため，期間を決め症例数を増やして集めたデータでもう一度審査を行う制度である．

2）再評価制度

　医薬品が承認された後での品質，有効性，安全性を見直す制度である．最近では，ほとんど効果のない薬であることが判明し，承認取り消しになるという事例も発生している．

3）副作用・感染症報告制度

　医薬品の安全対策として，厚生労働省，医療関係者（薬を使用した病院や診療所，販売した薬局を含め），製薬企業が協力して安全管理情報を収集する制度である．製薬企業だけでなく，医療機関・薬局からの副作用等の報告も薬機法で義務づけられている．

4）フッ化物洗口剤とフッ化物歯面塗布剤に係る再評価の結果[5]

　フッ化物洗口剤とフッ化物歯面塗布剤についても再評価の対象となり，「有用性が認められるもの」と判定され，添付文書の一部が修正され現在も問題なく使用されている．その際に対象となった医薬品は現在のミラノール® 顆粒11％（フッ化物洗口剤），フルオール® 液歯科用2％（フッ化物歯面塗布剤），弗化ナトリウム液「ネオ」（フッ化物歯面塗布剤）であり，それぞれの添付文書の再評価結果の欄に「1985年7月」と記載されているので，この事実が確認できる．

●フッ化物急性毒性発現時の対処

　表2は誤ってフッ化物を過量に摂取した場合の対処法をまとめたものである[6]．表1で示したように，基本的に5 mgF/kgを超える量を一度に摂取することはないが，少量で起こる腹部症状を未然に防ぐ方法は心がけておきたい．

　誤飲直後にカルシウムを多く含む牛乳（あるいは牛乳からつくられるアイスクリームでもよい）を経口投与すれば，胃内でフッ化カルシウムが形成され，

表2 フッ化物急性毒性発現時の対処法（Baylessら，1985[6]）

体重1kgあたりの フッ化物摂取量	処　置
5 mgF/kg 以下	1．経口的にカルシウム（ミルクなど）を与えて胃腸症状を緩和する．2～3時間様子をみる 2．嘔吐を誘導する必要はない
5 mgF/kg より多い	1．催吐剤で嘔吐を誘導し胃を空にする．ただし，6カ月より小さい子のように嘔吐反射が不十分，ダウン症や極度の精神発育遅滞の者には禁忌．胃洗浄に先立って気管挿管を行っておく 2．経口的に可溶性のカルシウム（ミルク，5％グルコン酸カルシウム，乳酸カルシウム）を投与する 3．病院に連れて行き，2～3時間様子をみる
15 mgF/kg より多い	1．ただちに病院に行く 2．嘔吐を誘導する 3．心臓モニターを設置し，心不整脈のチェック，心電図でT波のピークとQ-T間隔の延長を観察 4．10％グルコン酸カルシウム溶液10 mLをゆっくり静注．痙攣の兆候がある，またはQ-T間隔が延長しているときは，さらに追加する．電解質，ことにカルシウムとカリウム量をモニターし，必要に応じて是正する 5．必要なら利尿剤で尿排泄を適切に維持する 6．ショックに対する一般的な対処法を行う

胃を刺激することもないし，フッ化物が吸収されにくくなり低カルシウム血症も未然に防ぐことができる．したがって，ミルクやカルシウム製剤を歯科診療室に常備しておくとよい．また，低カルシウム血症が起こった場合はカルシウム製剤を静注して改善をはかる．これは病院に依頼することになる．

（荒川浩久・川村和章・宋　文群）

文　献

1) 厚生省医務局歯科衛生課：弗化物歯面局所塗布実施要領．1966, 2.
2) 磯崎篤則：フッ化物の慢性及び急性毒性の文献的考察．平成22年度厚生労働科学研究費補助金　歯科疾患予防のための日本人のフッ化物摂取基準とフッ化物応用プログラム報告書．
3) Whitford GM：Fluoride in dental products：safety considerations. *J Dent Res*, **66**（5）：1056-1060, 1987.
4) 財団法人医薬情報担当者教育センター　テキスト編集委員会：医薬情報担当者MR研修テキストⅢ2008年版　改訂版　医薬概論/PMS/添付文書．医薬情報担当者教育センター，2007, 188～191, 196～198.
5) 厚生省薬務局長から各都道府県知事あて．医薬品再評価結果及びこれに基づく措置について—24, 薬発第755号．昭和60年7月30日．
6) Bayless JM, Tinanoff N：Diagnosis and treatment of acute fluoride toxicity. *J Am Dent Assoc*, **110**（2）：209-211, 1985.

Chapter 8

フッ化物利用の安全性　②慢性毒性

摂取したフッ化物は，体の中に蓄積されて問題を起こさないのですか？

フッ化物はカルシウム（Ca）と結びつきやすいため，歯のフッ素症が起こる可能性はありますが，現行のフッ化物応用の濃度や予防では起こりません．そして骨フッ素症による骨折などのリスクは，さらにまれです．

　フッ化物は化学的にカルシウム（Ca）と結合しやすい特徴がある．生体のCaは圧倒的に骨や歯の組織にある．日本人の食事摂取基準（2020年版）では，Caは多量ミネラルに分類されるほど主要なミネラル[1]である．

　Caのあるところにフッ素があるといっても，フッ素は微量元素であり，体全体では2.5 mgほどになる[2]．フッ化物の摂取量が歯の成長期，骨の成長期を通じて長期間にわたり過剰になると，有害事象（副作用）が起こってくる．それがフッ化物による慢性毒性である．そのポイントは，時期と量の二つの条件が重なることで発現する．慢性症状として問題となる3徴候は，

　①歯のフッ素症の発現
　②骨フッ素症の発現
　③骨フッ素症における骨折の発現

である．このうち，どの症状がどれくらいのフッ化物摂取量で，どの時期に発現するか，順序がきわめて重要となる．

●歯のフッ素症

　まずは歯のフッ素症であり，この症状は歯冠部のミネラルがつくられる石灰化時期に過剰のフッ化物が作用しないと起こらない．その時期は，永久歯で最

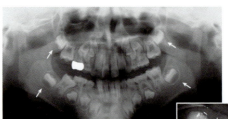
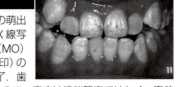

図1 7歳11カ月児の永久歯の萌出と形成状態を示すパノラマX線写真と中等度の歯のフッ素症（MO） 最も遅い第二大臼歯（白矢印）の歯冠部のミネラル形成が終了．歯面全体が白くなる中等度の歯のフッ素症は機能障害ではなく，審美障害を主体とする事象である

も早いのが第一大臼歯で出生と同時に始まり，最も遅いのが第二大臼歯で8歳までに終了する（図1）．前歯は4歳ぐらいまでに完成する．

ただし，確認できるのは萌出後である．この8年間の成長時期に一致して，歯面全体がチョーク様の白斑となる審美障害としての歯のフッ素症（図1）を発現するには，これまでの疫学調査結果から飲料水中のフッ化物イオン濃度が2 mg/L（2 ppmに相当）前後と高くなければならない[3]．わが国の水道法の水質基準では，0.8 mg/L以下と定められている．上限でも歯のフッ素症の発現は，さらに2.5倍高い値である．したがって，9歳以降，歯のエナメル質の形成が終了してからの過剰なフッ化物摂取による歯のフッ素症は認められない．

● 骨フッ素症

歯は「親知らず」を除けば，12歳頃までに萌出を完了するが，骨は思春期までは身長も大きく伸びるように著しく成長する．多量ミネラルCaは主に骨に蓄えられている．成人になると骨は伸びなくなるが，破骨細胞による骨基質の吸収と，それに続く骨芽細胞による骨形成によって生じる骨基質のリモデリングは，生涯にわたって発現し，骨基質は新しく入れ替わる．したがって，フッ化物の骨に対する影響は，より多量のフッ化物が長期間にわたって作用することで発現する．それが，骨フッ素症である．

骨フッ素症の症状は3段階に分類される[4]．ステージⅠは骨比重の増加で，

エックス線撮影によって確認されるが，自覚症状はないので前臨床症状である．ステージⅡは突発性疼痛，関節のこわばり，骨盤や脊椎の骨硬化症であり，痛みや運動障害を伴うので自覚でき，ステージⅡからフッ化物曝露と関連する有害事象となる．進行するとステージⅢとなり，慢性的関節の疼痛，関節炎の症状，靱帯の石灰化，海綿骨の硬化症が認められるようになる．自覚症状を伴う骨フッ素症は，数少ない疫学研究や症例集から，14 mg/day を超える量のフッ化物イオン摂取を継続することで確実に発現することが知られている[5]．関連して，総フッ化物イオン摂取量が 6 mg/day を超えると骨フッ素症を発症するリスクが増加する[6]．

骨フッ素症を発症する地域の特徴は，世界的にみると飲料水中のフッ化物イオン濃度が高く非常に高温で多量に飲料水を飲用する地区であること，あわせて栄養不良やカルシウムの摂取不足などの成育要因が関係している．飲料水中のフッ化物イオン濃度が最大 8 ppm を示す地域で，同時に低栄養にも問題を抱える住民たちを調査したその症例報告によれば[7]，O 脚や X 脚，膝や背骨が曲がらない症例が紹介されている．飲料水を 2 L/day 飲用するだけで，16 mg/day のフッ化物摂取量に相当する．その他食品由来を考慮すると，総フッ化物イオン摂取量はさらに高くなる．

このようにフッ化物への多量・長期間の曝露の結果，骨フッ素症を発現する．その過程では，骨フッ化物量が増加し，骨組織の微細構造の変質（結晶構造異常）の原因となる．そのことが骨質強度の脆弱化を誘発し，転倒や過度の負荷がきっかけとなり骨折を発症する．骨折は，高齢の場合には寝たきり状態を誘発しやすい．骨フッ素症の症状の一つである骨硬化症・関節炎や靱帯などの石灰化は，運動機能障害を起こし身体バランスの調整を難しくし，移動能力の低下をきたし転倒の原因となる．

原因は異なるが，広い意味で運動器症候群：ロコモティブシンドローム（ロコモ）である．狭義のロコモの原因は，加齢に伴う，さまざまな運動器疾患として，変形性関節症，骨粗鬆症あるいは関節リウマチなどが指摘されている[8]．

●フッ化物利用は骨折のリスク因子か

フッ化物利用によって，特に飲料水のフッ化物イオン濃度調整法は個々の研究において骨折のリスク因子であると指摘されることがある．しかしながら，

York大学による統合的研究の結果[9]では，両者に関連はないことが示された．また，WHOの骨粗鬆症のメタ解析[10]でも，臨床的骨折のリスク因子として低骨密度以外に，既存骨折，喫煙，アルコール多飲（1日2単位以上：日本酒2合にほぼ相当），両親の大腿頸部骨折の既往，高齢，関節リウマチ，ステロイド薬の使用など7項目が列挙されているが，フッ化物の利用は臨床的骨折のリスク因子ではない．

確かに，Skeletal fluorosisをキーワードにPubMedで電子検索すると，2000年以降でも報告例がある．報告では，インド，中国やトルコ地域を中心とした地域に長年住んでいる人々で，高濃度フッ化物の飲料水が原因であることが多く報告されている．

また，特異なケースとして[11]，フッ化物配合歯磨剤摂取が原因の症例報告がある．歯磨き後は吐き出さずに，1本/2日の割合で摂取していたとのこと．68.5 mgのフッ化物を毎日，45歳まで摂取していた（開始時期の明確な記載はないが，歯のフッ素症の症状に関する記載があることから推察すると，少なくとも8歳以前からと思われた）．

骨フッ素症の発現が骨折リスクの増加をもたらし，骨折に結びつくケースは，地域の特異な状況が重なることによって初めて発現する，稀有な事象である．

（飯島洋一・眞木吉信）

文 献

1) 厚生労働省：日本人の食事摂取基準（2020年版）．
 (https://www.mhlw.go.jp/content/10904750/000586553.pdf)
2) 飯島洋一：フッ化物についてよく知ろう―う蝕予防の知識と実践―．デンタルダイヤモンド社，東京，2010, 29.
3) Dean, H. T：The investigation of physiological effects by the epidemiological method. In Moulton, FR ed. Fluorine and Dental Health.：American Association for the Advancement of Science. Washington, D. C., 1942, 23〜31.
4) National Research Council：Fluoride in Drinking Water：A Scientific Review of EPA's Standards. The National Academies Press, Washington, D. C., 2006, 170.
5) Fluoride in Drinking-water, Background document for development of WHO Guidelines for Drinking-water Quality.
 (http://www.who.int/water_sanitation_health/dwq/chemicals/fluoride.pdf)
6) Fluoride in Drinking Water IPCS 2002 *Fluorides*. Environmental Health Criteria 227. World Health Organization, Geneva.
 (http://www.who.int/water_sanitation_health/publications/fluoride_drinking_water_full.pdf)
7) Investigation on the relevance of defluoridated water and nutritional supplements in fluorosis

8) 日本臨床整形外科学会：ロコモティブ症候群．
   (http://www.jcoa.gr.jp/locomo/teigi.html)
9) McDonagh, M, Whiting P, Bradley M, Cooper, J, Sutton A, Chestnutt I, Misso, K, Wilson P, Treasure E, Kleijnen J：A Systematic Review of Public Water Fluoridation NHS Centre for Reviews and Dissemination, University of York, York, 2000, 1〜86.
10) Prevention and management of osteoporosis. Report of a WHO scientific group, WHO Technical Report Series. 2003, 921.
11) Roos J, Dumolard A, Bourget S, Grange L, Rousseau A, Gaudin P, Calop J, Juvin R：Osteofluorosis caused by excess use of toothpaste. *Presse Med*, **34**（20 Pt 1）：1518-1520, 2005.

Chapter 9

歯や口腔以外の全身への影響

 う蝕予防のためにフッ化物を用いると,全身や口のどこかに悪い影響が出てしまうことはありませんか？

 適正に用いられるフッ化物応用で,全身や口に影響がみられることはありません．

　世界に比べ，わが国でフッ化物応用普及が遅れた一因には，国民に対する啓発活動の不足や，行政，報道，医療等に関係する方々の社会的責任と口腔疾患撲滅への意欲などの課題が挙げられる．信頼度の低い意見を熟慮せずに取り上げ，「賛否両論」，「安全性・有効性に問題」，「自己決定権等の侵害」，「環境汚染」などと囃し立てた方々の責任は重い．フッ化物応用普及を阻む方々は，根拠を無視した解釈，見せかけの論争，怖い言葉，大きな嘘，当てこすり，反面の真実などのテクニックを用いている．

●EBMの考え方

　科学に興味ある方や医療に携わる方々は，科学論文をはじめ，リーフレットやチラシに至るまで掲載された文章を的確に読み取り，科学的根拠に基づいた医療（EBM）を実践することが必要である．研究・調査の評価は，採用された方法の質と掲載された雑誌の信頼度，そして関連報告の数が考慮される．特にヒトが対象になる疫学調査は，偏った分析方法などによる少数の報告論文をもって解釈を求めると，誤った結論につながりやすい．

　一般的に，行政や保健医療関連機関・団体から示される施策やガイドライン，見解などでは，一定基準の査読審査を経た研究・調査の論文を集積し，論文の質を評価してEBMを整理し，ある方向性を示した結論にまとめるものである（図1）[1]．

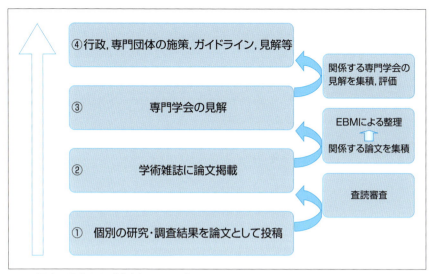

図1 研究・調査から「公表」までのプロセス
(筒井昭仁：フッ化物応用に対する内外の推奨．一般社団法人日本口腔衛生学会フッ化物応用委員会編：フッ化物応用の科学 第2版．口腔保健協会）を一部改変

　オーストラリア政府の一例を紹介すると，2007年に National Health and Medical Research Council（NHMRC：国立保健医療研究評議会）は，フッ化物応用での全身応用（水道水フロリデーション：WF，ミルクフロリデーション，食塩フロリデーション）と，局所応用の単一ならびに複合フッ化物応用について，システマティックレビュー（系統的総説）＊"A systematic review of the efficacy and safety of fluoridation" を公表した[2]．これには NHMRC での根拠の階層レベルが示されている（**表1**）．保健医療のみならず，すべての科学における評価にはシステマティックレビューが最も信頼性の高い総説と位置づけられることを前提として理解していただきたい．

＊システマティックレビュー：世界中の科学論文を収集し，それらについて科学的に適正な方法で研究，調査が行われているかどうかを批判的に吟味・評価し，調査対象の集め方や解析手法が科学的に正しいと評価された論文だけをもとに，統計学的手法を用いて一つの結論を導き出すという EBM に基づいた最も信頼性の高い医療・予防法等の系統的総説をいう．

表1 NHMRCでのエビデンス階層レベル（一部抜粋）

エビデンス 階層レベル	介 入
Ⅰ	階層レベルⅡの研究によるシステマティックレビュー（系統的総説）
Ⅱ	ランダム化比較試験
Ⅲ-1	擬似ランダム化比較試験（ランダムでない替わりの方法による）
Ⅲ-2	同時対照のある比較試験 　○非ランダム化試験（前後比較や間接比較研究を含む） 　○コホート研究 　○症例-対照研究 　○不定期な対照のある研究
Ⅲ-3	○同時対照のない比較試験 ○既存対照研究 ○2つ以上のケース事例集
Ⅳ	開始前後の結果の比較研究によるケース事例集

A systematic review of the efficacy and safety of fluoridation
(http://www.nhmrc.gov.au/_files_nhmrc/publications/attachments/eh41_1.pdfより)

●フッ化物応用をめぐるエビデンス

　さて，本題のフッ化物応用による歯や口腔以外の全身への影響を述べる．1945年に米国でWFが開始されてから，動物実験やヒトを対象とした多くの研究・疫学調査が行われた．これらを受け，う蝕予防のために適正に用いる全身または局所へのフッ化物応用での身体などへの影響の懸念は，WHO（世界保健機関）やFDI（国際歯科連盟）をはじめ，世界で150以上にも及ぶ保健医療関連機関などによって科学的に否定され，またフッ化物応用は有益な方法として認められて，勧告または推奨されている[1〜6]．

　先のNHMRCシステマティックレビューにおいては，適正なフッ化物全身応用と単一ならびに複合フッ化物局所応用について，骨折，癌，その他の影響を検討し，全身や口腔に悪い影響を及ぼすという証拠はないと結論づけている[2]．

　WFに的を絞った全身への影響に関しては，英国ヨーク大学が"A Systematic Review of Public Water Fluoridation"（2000年）を公表した[3]．WFに関する効果と安全性について総合的に評価した報告書であり，部位別と全部位における骨折，発症と死亡や，部位別と全部位における癌，骨肉腫，ダウン症候群，死亡率，認知症，甲状腺腫，IQレベルを検討した．適正フッ化物濃度で調整されている，または天然水によるWFが，何らかの全身の悪影響を増加させるとの

表2 IARCでの1,052物質*のヒト発癌性評価分類（2025年3月末現在）

IARC[7]ホームページより作成

グループ (4分類)※	物質の発癌性評価	物　質 (因子) 数*	物　質（因　子）*
1	ヒト発癌性がある	133	アルコール飲料，アスベスト，エチレンオキサイド，喫煙，受動喫煙，X線，γ線，α線，β線，太陽放射，B・C型肝炎ウイルス，他
2A	ヒト発癌性がおそらくある（Probably）	96	クレオソート，炭素電極製造工程，クロラムフェニコール，HPV Type 68，テトラクロロエチレン，鉛化合物，マラリア，他
2B	ヒト発癌性の可能性がある（Possibly）	322	クロロホルム，カーボンブラック，重油，ガソリン，ガソリンエンジンの排気，ナフタレン，ビニールアセテート，ウレタン，他
3	ヒト発癌性があるとの分類には入れられない（Not classifiable）	501	飲料水中の無機フッ化物，お茶，塩素消毒した水道水，コーヒー飲料，カフェイン，クロラミン，過酸化水素，コレステロール，アクリル繊維，原油，ポリエチレン，歯科用材料，他

※ 2019年1月改訂

証拠を確認することはできなかったと結論づけた[3]．

また，WHOの一組織のInternational Agency for Research on Cancer（IARC：国際癌研究機関）によるヒト発癌性評価（2025年3月）では，「飲料水中の無機フッ化物」は4分類のなかで4段階目の「発癌性があるとの分類には入れられない」であり，「お茶」や「塩素消毒した水道水」と同じく発癌性は非常に低い（**表2**）[7]．

一方，動物実験による癌発生との関連については，National Institute of Health（NIH：米国国立衛生研究所）がAd Hoc Report（1991年）で報告している．雄ラットで「Equivocal evidence（不確実な，あいまいな証拠）」，雌ラットでは関連なしとなり，結論として明確な関連の証明ができなかったとしている．なお，同レポートに示されたその後の別の動物実験において，いずれもフッ化物と癌との間に関連は証明できなかったとしている[6,8]．

遺伝毒性・生殖毒性，神経毒性，脳神経系，内分泌系への影響，知能または子どもたちの気力低下や注意力散漫などについても，フッ化物摂取との関連があるという科学的根拠は存在しない．米国のNational Research Council

（NRC：全米研究評議会）報告書（2006年）では，フッ化物摂取と関連したIQ低下，認知能力の有意な減少の報告例について，教育環境などの交絡因子が整理されていないことから，信頼できるものではないとの結論がNRC見解であった[9]．

WF経験の病気罹患あるいは保健行動上の問題のリスクについて，ニュージーランドのクライストチャーチに生まれた児童の出生時，4カ月および1年ごとに行われた7歳児までの追跡調査で増加したという証拠は認められず，逆にWF地区の児童は，その他の地区の児童よりもわずかに良好な傾向を示したと報告した[10]．

●腎疾患患者へのフッ化物応用

推奨フッ化物量が腎疾患をもった子どもたちに何らかのリスクをもたらすという証拠は認められていない．フッ化物利用は腎患者にとっても有用な方法として，2003年，2009年にFDIから推奨されている[11]．腎患者の場合は，健常人以上に歯科治療に伴う苦痛や身体的リスクを避けるべきであることから，フッ化物利用は腎患者にとって健常人以上に有用と考えるべきである．

透析が必要な腎置換療法患者は，血液透析または腹膜透析を受けている．腹膜透析で使用される溶液は特別に調整されており，WFの水は使われていない．血液透析装置は非常に厳格な基準でコントロールされており，溶液中のフッ化物が完全に除去されるシステムになっている．よってWFが危険因子になることはない．なお，WF以外のフッ化物摂取，つまりは栄養補助食品，洗口液や歯磨剤などからのフッ化物摂取について，前もってこれらの製品における使用法の基準化が行われていれば，腎疾患患者に対する何らかのリスクになるという科学的な根拠は存在しない[11]．

内分泌系（甲状腺）については，ヒトを対象とした疫学調査，また動物実験の結果からも，WFからのフッ化物摂取が内分泌系とその機能に影響を及ぼすことはないと結論づけた[4]．

●おわりに

世界各国ではフッ化物応用の安全性について絶えず研究・調査を行い，結論が公表されている．特に，ヒトに対するフッ化物の影響の追加検討は，どのよ

うにフッ化物応用すればさらに良好な効果が得られるかを示すことができるからである．う蝕予防のために適正に用いられる全身または局所へのフッ化物応用による身体などへの影響は今後も研究・調査され，安全でかつ効果的であることが常に実証されていくのである．

（木本一成）

文　献

1) 筒井昭仁．フッ化物応用に対する内外の推奨．フッ化物応用の科学第2版．174-182．口腔保健協会，2018．
2) A systematic review of the efficacy and safety of fluoridation. National Health and Medical Research Council.
 (https://www.nhmrc.gov.au/sites/default/files/documents/attachments/A-systematic-review-of-the-Efficacy-and-safety-of-Fluoridation-part-a%20.pdf)（2024年6月24日アクセス）
3) A systematic review of public water fluoridation. The University of York.
 (https://www.york.ac.uk/media/crd/crdreport18.pdf)（2024年6月24日アクセス）
4) 2021 Fluoridation Facts. Fluoridation Facts is the ADA's premier resource on fluoridation. American Dental Association.
 (https://www.ada.org/resources/community-initiatives/fluoride-in-water/fluoridation-facts)（2024年6月24日アクセス）
5) One in a Million：the facts about water fluoridation（3rd edition）. The British Fluoridation Society.
 (https://bfsweb.org/one-in-a-million/)（2024年6月24日アクセス）
6) US Public Health Service：Review of Fluoride Benefits and Risks. National Cancer Institute. Washington DC. 1991.
7) Agents Classified by the IARC MONOGRAPHS, VOLUMES 1-136. International Agency for Research on Cancer Monographs on the Evaluation of Carcinogenic Risks to Humans.
 (http://monographs.iarc.fr/agents-classified-by-the-iarc/)（2025年3月31日アクセス）
8) US Dept. of Health and Human Service, Public Health services, National Institute of Health：National Toxicology Program. Research Triangle Park. NC. 1991.
9) National Research Council：Fluoride in Drinking Water, A Scientific Review of EPA's Standards. The National Academies Press. Washington DC. 2006.
10) Shannon FT, Fergusson DM, Horwood LJ：Exposure to fluoridated public water supplies and child health and behavior. N Z Med J, **99**（803）：416-418, 1986.
11) Topical and systemic fluorides in children with renal diseases. FDI Policy Statements（2009）．
 (https://www.fdiworlddental.org/sites/default/files/2020-11/fdi_world_dental_federation_-_topical_and_systemic_fluorides_in_children_with_renal_diseases_-_2018-07-04.pdf)（2024年6月24日アクセス）

Chapter 10

健康格差の解消に向けて

 なぜ，国の政策で健康格差が重視されているのですか？

 公衆衛生研究の進展により，日本にも健康格差があることや，健康格差の縮小には従来の方法（生活習慣や感染源への対策）だけでは不十分であることが明らかになりました．これらの実情と研究成果を受けて国も対策に乗り出しました．

● 日本で注目される健康格差

　国民皆保険制度を有する日本においても，健康格差が問題として認識されるようになった．厚生労働省が 2012 年に発表した健康日本 21（第二次）では，基本的の方向の最初に「健康寿命の延伸と健康格差の縮小」が挙げられ，現在の第三次にも引き継がれている．歯科口腔保健の推進に関する基本的事項でも 2023 年の改定も含め，健康格差の縮小が第一に掲げられている．健康格差を重視する流れは WHO をはじめとして世界的な潮流で，国際歯科学会（IADR）も口腔の健康格差の研究グループが設立されている．2022 年の WHO の口腔保健レポートでも健康格差が重視されている[1]．

　健康格差とは，「不必要で，避けられるはずの，不公平で理にかなわない健康の差異」とされる[2]．一部の人々だけでなくすべての人々に影響を及ぼし，経済状況や職業，教育歴などを含む多様な健康の社会的決定要因（Social determinants of health）により引き起こされる．一方で，純粋に確率的な遺伝的影響で生じる病気の差異は，健康格差とは考えない．

　日本の歯科疾患の格差の例としては，う蝕の罹患に地域格差があることが知られている．東北地方や九州地方などで多い一方，東京などの大都市とその周辺を中心に少なく，このう蝕の地域差は社会経済状況で大きく説明される[3]．子どものう蝕から成人の歯周病，高齢者の歯の喪失までライフコースを通じて

所得が低いほど健康が悪いという健康格差が存在する[4]．重要なこととして，健康格差は一部の貧しい人に生じるのではなく，すべての人々の健康に影響をあたえるため，二極化ではなく「社会的勾配」と称される．

● **健康格差の原因・社会的決定要因**

従来，病気の原因として2種類の要因が考えられていた．細菌やウイルスといった生物医学的要因，また食生活や運動習慣，清掃習慣といったライフスタイル要因である．近年，これらの2種類の要因だけでは，病気の要因を考えるときに不十分であることが明らかになってきた．

たとえば，う蝕の発生にはライフスタイル要因，生物医学的要因が原因となるが，これらの要因だけでは，う蝕罹患の大きな地域差の理由は説明ができない．一般的には定期的に歯科医院に通院していれば口腔内を健康に保てると考えられているが，受診を中断する人やそもそもまったく受診しない人が存在することは，従来の2要因では多くの場合に説明ができない．つまり，ライフスタイルの「差」や，生物医学的要因の「差」を引き起こす要因についての理解がこれまで十分ではなかった．そして，こうした「差」を引き起こして，健康格差の原因となるのが，「健康の社会的決定要因」である．そのため，社会的決定要因は「原因の原因」といわれる．

● **歯科疾患の健康格差への対策**

従来のライフスタイル要因や生物医学的要因への対策は大切ではあるが，社会的決定要因を考慮しなくては，結果として健康格差の拡大につながることもあることがわかってきた．たとえば，イギリスで行われた歯科保健指導の介入研究では，歯垢付着や歯肉出血の改善は，富裕地域の小学校にのみ認められ，貧困地域では改善が認められなかった[5]．また，日本でも，リスクの高い人が健診や保健活動になかなか来てくれない，というのはしばしば耳にすることである．予防介入の恩恵がリスクの低い人々には普及しやすく，リスクの高い人々により行き渡りにくいのは，「逆転する予防の法則」として知られている．

逆転する予防の法則にならずに，健康格差を解消するには，個人の努力に頼るだけでなく，より構造的な介入が必要である．図1には健康格差を縮小しやすいアプローチから，そうではないアプローチまで列挙した（格差を拡大しや

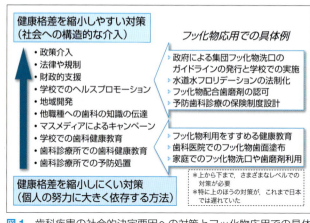

図1 歯科疾患の社会的決定要因への対策とフッ化物応用での具体例（Watt, 2007[7]）をもとに作成）

すいアプローチを否定しているわけではないので，ご留意いただきたい），環境を変えてすべての人に影響を及ぼす方法ほど，健康格差を縮小しやすい[6,7]．

●社会的決定要因への対策としてのフッ化物応用

　フッ化物応用にはさまざまな方法があるが，健康格差を縮小するような構造的な介入が可能なのが，大きな特徴である．フッ化物洗口は，家庭で行えば個人の意識や努力に大きく依存する対策となり，図1の下のほうのアプローチとなる．しかし，幼稚園や学校などの施設で全体的に行えば，歯科医院に定期的に行ったりフッ化物配合歯磨剤を購入する時間的・金銭的余裕がないような家庭環境の子どもでも，学校に行くだけでう蝕を予防できる環境が実現されて健康格差を縮小する．これは，社会的決定要因が歯の健康によい方向に変更されたことになる．つまり，同じフッ化物応用でも，個人のライフスタイル要因や生物医学的要因にだけアプローチする方法もあれば，社会的決定要因にまで到達できる方法もある．この意味で水道水フロリデーションやフッ化物洗口の健康格差の縮小効果は有名である[9]．これらを反映してか，2023年の厚生労働省の歯・口腔の健康づくりプランには集団フッ化物洗口の目標値が示されている．

　社会的決定要因を考慮した対策は，社会の人々が互いに理解し合い，助け合う精神が必要になる．図2は集団フッ化物洗口を例にこれを示した．従来の歯

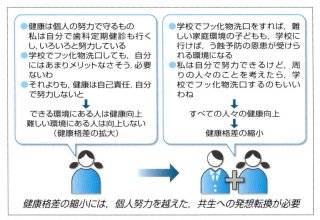

図2 健康格差の縮小に，個人の努力から社会の努力へ

科臨床や健康教育に加えて，社会的決定要因の対策や，それに結びつくような保健指導（う蝕予防ではチェアサイドでの指導だけでなく，学校でフッ化物洗口を実施することの有効性についても追加するなど）が必要だろう．臨床の歯科医師や歯科衛生士，大学，行政の歯科保健職種がさまざまな場面で社会的決定要因を意識した働きかけをしていくことが，健康格差の縮小に必要だろう．

（相田　潤）

文 献

1) WHO：Global oral health status report：towards universal health coverage for oral health by 2030：〔https://www.who.int/publications/i/item/9789240061484〕2022.
2) Whitehead M：The concepts and principles of equity and health. *Int J Health Serv*, **22**（3）：429-445, 1992.
3) Aida J, et al.：An ecological study on the association of public dental health activities and sociodemographic characteristics with caries prevalence in Japanese 3-year-old children. *Caries Res*, **40**（6）：466-472, 2006. .
4) 相田潤，安藤雄一，柳澤智仁．ライフステージによる日本人の口腔の健康格差の実態：歯科疾患実態調査と国民生活基礎調査から．口腔衛生会誌，**66**：458-464，2016
5) Schou L, Wight C：Does dental health education affect inequalities in dental health? *Community Dent Health*, **11**（2）：97-100, 1994.
6) Petersen PE, Kwan S：Equity, social determinants and public health programmes—the case of oral health. *Community Dent Oral Epidemiol*, **39**（6）：481-487, 2011.
7) Watt RG：From victim blaming to upstream action：tackling the social determinants of oral health inequalities. *Community Dent Oral Epidemiol*, **35**（1）：1-11, 2007.
8) Riley JC, et al.：The effect of water fluoridation and social inequalities on dental caries in 5-year-old children. *Int J Epidemiol*, **28**（2）：300-305, 1999.

Chapter 11

歯科保健推進条例とフッ化物

新聞にうちの県で「歯科の条例ができた」って載っていたけど，これで何か変わるんですか？

最近，多くの自治体で歯科保健条例が整備されています．歯科保健条例は地域の実情に合わせた歯科保健を推進するために，地域のための法律としてつくられます．国レベルでも，2011年に「歯科口腔保健法」が制定され，人の一生を通じて系統的に歯科保健を進めることが可能になりました．筆者の県の条例にも「フッ化物利用」が盛り込まれています．フッ化物利用のさらなる普及が期待されますね．

●条例

　法律は国レベルでつくられ全国一律に施行されるが，条例は地方自治の精神に基づいて，政策を実現するために定めるものであり，地方自治体が住民との対話・協調を通じてつくる地方独自の法律である[1]．条例には知事提案と議員発議によるものがあり，歯科保健条例は議員発議によるものが多い（**表1**）．この場合，議会内での質疑も議員間で行われることとなり，審議の過程で議員に相応の歯科保健の知識が要求される．この知識は，条例制定後の施策や，そのための予算請求などの審議においても生かされることとなる．

●歯科保健条例

1）全国初の「新潟県歯科保健推進条例」

　2008年に新潟県で歯科保健推進条例が制定された[2]．新潟県は早くからフッ化物洗口の普及をすすめた県であり，12歳児の一人平均う歯数も全国で最も少ない県であった．その状況下でなぜ条例が制定されたのか．

表1 全国の歯科保健条例とフッ化物応用（2024年2月25日現在）

う蝕予防法の表現（数）	都道府県（43道府県が制定）
フッ化物洗口（14）	北海道　秋田県　富山県　三重県　滋賀県　京都府　和歌山県　鳥取県　愛媛県　佐賀県　長崎県　熊本県　大分県　神奈川県
フッ化物（20）	青森県　宮城県　山形県　福島県*　茨城県　群馬県　埼玉県　千葉県　新潟県　福井県　山梨県　長野県　岐阜県　愛知県　徳島県　高知県　福井県　兵庫県*　山口県　香川県　宮崎県
科学的な根拠のある（4）	静岡県　福岡県*　鹿児島県　沖縄県*
特別な記載なし（7）	岩手県　栃木県　石川県　奈良県　島根県　岡山県　広島県
条例未制定（2）	東京都**　大阪府***

*　知事提案による条例制定　他は議員発議による
**　検討していない
***健康づくり推進条例の中に「第14条　歯及び口腔の健康の保持及び増進」が含まれている（フッ化物等の記載はない）

　新潟県では，歯科保健は，5歳以下は厚生労働省管轄で母子保健法のなかで，小学生になると文部科学省管轄となり学校保健安全法のなかで，と世代ごとに区切られバラバラに行われ，人の一生を通じての系統立った歯科保健ができていなかったという実態がある．また，歯科保健プログラムを組んだり，そのための予算請求などでも，複数の部署に説明をしなければならないなど，行政手続き上の複雑さを抱えていた．

　そのため，条例の制定により，地域の実情に合わせて施策を組むことができ，系統だった切れ目のない歯科保健の推進ができることとなったのである．

2）2番目の「北海道・口腔の健康づくり8020推進条例」

　2番目に制定されたのは，北海道である[1]．北海道は12歳児のう蝕が全国ワースト3という状況で（2008年当時），新潟県の条例とは性格もおのずと違ってくる．北海道の条例にはう蝕を減らすための手段として，「フッ化物洗口の実施推進」が組み込まれていることが特徴である．また，この一点ゆえに，条例の成立に多少の困難を生じることとなった．

　2008年8月から準備が始まり，翌年の3月，道議会に提案され審議されたが，決着がつかず継続審議となった．5月には，専門家の意見を仰ごうということで，保健福祉委員会に発議側と反対する側が互いに参考人2人ずつ計4人を招致して，意見陳述を受け，審議することとなった．意見陳述は，多くのマスコミ，傍聴人を集めて行われた．

筆者は発議側の参考人の1人として呼ばれた．参考人の意見陳述にはルールがあり，一方の参考人が意見陳述を行い，その後に議員からの質問に答える．この間，他方の参考人はその場に同席できない．結果は，反対する側の参考人の"自滅？"ということで終わった．意見陳述では"怖いフッ素の害"が盛りだくさんであったらしいが，質疑になって議員から内容を問いただす質問がさまざま発せられると，参考人はしどろもどろになり，まともに答弁できなかったと聞いている．その状況も知らず，筆者は緊張して意見を陳述し，議員からの質問にも答え，参考人の役割を果たした．

　公開の場で行われた参考人招致は，結果として反対論の実体のなさをみんなに知らしめる機会となった．招致した会派もおかしさに気づいたのであろう，本会議では当の会派全員が賛成票を投じ，条例が無事成立した．条例に「フッ化物利用」を入れることを躊躇する自治体もあると聞くが，反対論に実体はない．条例づくりの過程で議論しておくことは，反対論が出ても「すでに専門家を呼んで議論して決着がついている」となり，条例制定後の推進に大きなプラスになると考える．

　2008年の条例制定後，フッ化物洗口推進を北海道歯科保健医療計画の重点施策に位置づけ，道（保健福祉部），教育委員会，道歯科医師会，歯科衛生士会の4機関連名による「フッ化物洗口ガイドブック」を作成し，普及を促した．実施施設数・人数は，条例前の2007年度の191施設・10,510人から，2018年度には1,434施設・127,433人へと増加し，小学校の実施率は65％となった[3]．条例制定は，関係者に課題解決の方向性や優先順位を明確に示し，行政施策推進に有意義であった．

3）新潟県，北海道に続く条例づくり

　現在47都道府県中45道府県で歯科保健条例が制定されている．13道府県が「フッ化物洗口」を，19県が「フッ化物」を，6県が「科学的な根拠のある」を文言として取り入れている（**表1，図1**）．また，176の市町村，特別区でも独自に条例が制定されている[4,5]．

●歯科口腔保健の推進に関する法律（歯科口腔保健法）

　2012年7月には「歯科口腔保健法」[6]を具体的に推進するための基本的事項[7]

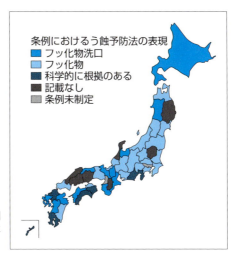

図1 全国の歯科保健条例制定状況都条例におけるフッ化物利用の記載（2024年2月25日現在）

が定められ，幼児期，学齢期，成人期，高齢期の目標，計画が発表された．すべてのライフステージの計画に「フッ化物の応用」が組み込まれていることも注目したい．

みんなで行う園・学校でのフッ化物洗口は，健康日本21（第二次）で取り上げられた健康格差の縮小にも貢献すると考える．

（筒井昭仁）

文　献

1) 佐々木健：都道府県の事例―フッ化物応用を位置づけた歯科保健の体系づくり（北海道の例）―．新 フッ化物ではじめるむし歯予防．筒井昭仁ほか編，医歯薬出版，2011，70-77．
2) 新潟県：全国に先駆けて制定「新潟県歯科保健推進条例」のページ．
　（http://www.pref.niigata.lg.jp/kenko/1228852880888.html）（2012年12月7日アクセス）
3) 厚生労働省：各都道府県におけるフッ化物洗口の実施状況について（平成30年度）．
　（https://www.mhlw.go.jp/content/000711481.pdf）（2023年8月24日アクセス）
4) 8020推進財団：都道府県歯科保健条例制定マップ．
　（https://www.8020zaidan.or.jp/map/）（2023年8月24日アクセス）
5) 厚生労働省：歯科口腔保健に関する調査．
　（https://www.mhlw.go.jp/stf/seisakunitsuite/bunya/koukuuhokentyousa.html）（2023年8月24日アクセス）
6) 歯科口腔保健の推進に関する法律．
　（http://law.e-gov.go.jp/htmldata/H23/H23HO095.html）（2012年12月7日アクセス）
7) 厚生労働大臣：厚生労働省告示第438号．歯科口腔保健の推進に関する基本的事項．官報号外第158号．
　（http://www.ishii-midori.jp/report/120723shika%20kokuji.pdf）（2012年12月7日アクセス）

Chapter 12

「栄養」としてのフッ化物応用の健全な考え方
―フッ化物摂取基準の策定と『日本人の食事摂取基準』―

 フッ化物はう蝕予防の「薬」ですか？

 日本では，フッ化物応用が歯面塗布，洗口および歯磨剤といった局所応用手段に限られ，そこで使用される高濃度のフッ化物は，薬物または薬用成分として位置づけられています．しかし，水道水フロリデーションや食品へのフッ化物添加のような低濃度のフッ化物による全身応用法は，フッ化物を健康の維持増進のための「栄養」として考えたものといえます．

●フッ化物を「栄養」として考える

　フッ化物は，う蝕発病を抑制し，生涯にわたる健康の維持増進に不可欠な「栄養」である．この観点から，アメリカ合衆国やイギリスなど欧米先進諸国では，国の機関がカルシウムや鉄などと同様に，「フッ素」を一生を通じて人の健康にとって欠かせない「栄養」として位置づけ，年齢別の一日あたりのフッ化物摂取の目安量（AI：adequate intake）と上限量（UL：tolerable upper intake level）を設定している（厚生労働省策定　日本人の食事摂取基準 2020 年版，4．諸外国の食事摂取基準．第一出版，2020）．しかしながら，日本ではフッ化物応用が歯面塗布，洗口および歯磨剤といった薬物としての局所応用手段に限られ，水道水や食品へのフッ化物添加のような，フッ化物を健康の維持増進のための栄養として考えた全身応用法がまったくないため，現在のところ欧米先進諸国のようなフッ化物摂取基準は策定されていない．

●日本人におけるフッ化物摂取基準案作成に至る経緯

　日本人のフッ化物摂取基準を作成する契機となったのは，日本歯科医学会医

療問題検討委員会の中にフッ化物検討部会ができて，栄養としてのフッ化物の位置づけに関する議論がなされたことによる．その経緯は以下のようである．

日本歯科医学会医療問題検討委員会フッ化物検討部会は，日本歯科医学会斎藤　毅会長の要請を受け，平成10年1月22日，第1回の委員会を開催した．以来，平成11年10月8日までに9回の会議を開催し，「フッ化物応用についての総合的見解」をまとめるために検討を重ねてきた．その結果，平成11年11月1日に答申を行い，国民の口腔保健向上のために，う蝕予防を目的としたフッ化物の応用を推奨するとともに，わが国におけるフッ素の適正摂取量を確定するための研究の推進を奨励することとなった．この答申に基づき，平成12年4月に厚生省（現：厚生労働省）は「歯科疾患の予防技術・治療評価に関するフッ化物応用の総合的研究」（略称：フッ化物応用の総合的研究，H12-医療-003，主任研究者：高江洲義矩　東京歯科大学教授）を発足させることとなった．

●フッ化物摂取基準の検討

日本歯科医学会の「フッ化物応用についての総合的な見解」において，フッ化物応用の基礎となるフッ化物摂取基準のための研究を推進することが提唱され，厚生省の研究班における「フッ化物の栄養所要量と健康」グループに課せられたテーマは，わが国において健康増進のためのフッ化物応用を推奨していくために，乳児から成人，老人に至る生涯を通したう蝕予防のためのフッ化物摂取の目安量（AI）および上限量（UL）を策定することにあった．

フッ化物の栄養学的評価は，近年の微量元素の摂取基準がアメリカから発信された栄養摂取概念をもとに展開されており，日本においても第6次栄養摂取基準改定から援用されている．初期の厚生労働科学研究においては，各年齢群別におけるフッ化物摂取量に関する知見を収集するとともに，乳児，幼児および児童のフッ化物摂取に関する調査と実験研究を行った．また，母乳および日本において市販されている主な調製粉乳のフッ化物イオン濃度の分析を通して乳児のフッ化物摂取量を推定した．その後，幼児（3～5歳児）のフッ化物イオン摂取量を陰膳食法による食事調査から求め，さらに浄水場の平均フッ化物濃度も考慮して0.16 ppmF未満の低フッ化物イオン濃度飲料水地区でのフッ化物摂取量を実際に求めた．その結果，平均値0.28 mg/day（1～6歳児），および

0.29 mg/day（3〜5歳児），フッ化物配合歯磨剤を含めた総フッ化物摂取量でも0.35 mg/day，最大値でアメリカの上限値（UL）を超えることなく，目安量（AI）の2分の1程度であった．

また，わが国における水道水フロリデーションを考慮した幼児（3〜5歳）のフッ化物摂取量を試算すると，食事からのフッ化物摂取量がアメリカの設定の目安量（AI）を満たし，上限量（UL）を超えない摂取量となり，0.8 ppmFの飲料水において平均値0.73 mgと推定され，最大値でも上限量（UL：1.7 mg/day）を超えることなく，3歳児の目安量（AI）程度と評価された．

次に，飲料水フッ化物濃度が異なる2つの地域の小児における食事からのフッ化物摂取量を陰膳食法で検討したところ，飲料水フッ化物イオン濃度0.6 ppm地域の中学生は低濃度（0.1 ppmF以下）地域の生徒と比べて，う蝕経験歯数が有意に少なく，歯のフッ素症も審美的に問題となるレベルの発現はないことが示された．

食品中フッ化物分析値においては，海産物を中心として，魚類32品目（可食部）のフッ化物イオン濃度は，0.02〜9.07 μg/g，変動係数0.7〜39.4％の範囲であった．その中でフッ化物イオン濃度1.0 μg/g以上のもが，9品目あった．さらに，マーケットバスケット方式によって国民栄養調査成績表（平成11年度）の分類に準じた，66品目を分析したフッ化物イオン濃度では，米0.14 μg/g，小麦粉0.03 μg/gと低値を示した．麺類0.14 μg/g，砂糖0.07 μg/g，乳製品0.05 μg/g，魚介類（魚の可食部）0.44 μg/g，で魚介類が最も高い値を示した．肉や豆腐，野菜，果物，ジャガイモは概ね0.1 μg/g以下の低値を示した．

これまでの日本における飲食物からのフッ化物摂取量の文献をレビューしたところ，飲食物からの1日あたりの総フッ化物摂取量は，成人では0.89〜5.4 mg/dayと文献間のばらつきが大きいが，1990年以降の報告では0.90〜1.28 mg/dayであった．また，乳児ではドライミルクと乳児用食品を摂取した場合0.09〜0.27 mg/day，幼児では0.23〜0.38 mg/dayであった．乳幼児における総摂取量はアメリカの設定基準（Dietary Reference Intakes；DRI）が示したAI（目安量）の約2分の1であった．学齢期と成人期においても現状では世界で設定されている摂取基準（目安量）に足りていない．

●日本人におけるフッ化物摂取基準（案）

　生涯にわたる健康を維持・増進するうえで，フッ化物応用によるう蝕予防は基本的かつ不可欠であることは，多くの疫学調査から実証されている[1,2]．このようなフッ化物の摂取基準は，アメリカでは推定平均必要量（EAR：estimated average requirement）の推定が困難なことから，各年齢層別の1日あたりのフッ化物の目安量（AI）と上限量（UL）が提示されている[3]．しかしながら，日本人の食事摂取基準では2020年版においてもフッ化物の摂取基準は，いまだ設定されるに至っていない[4]．フッ化物はあらゆる食品に含有されているため，その摂取基準の設定が困難であり，日本ではその基礎資料も示されていなかった．日本人の基準値を策定するには，フッ化物摂取のう蝕予防効果と過剰摂取による副作用の問題，すなわち，日本の小児における歯の審美的副作用（adverse cosmetic effect）である「歯のフッ素症（enamel fluorosis）」の発現とその基準値設定の基礎資料が必要となる．また，食品に嗜好飲料水や居住地域の水道水を含めた食事からのフッ化物摂取量と歯磨剤からの飲み込み量を合わせた総フッ化物摂取量の把握が必要である[5〜7]．

　2000年4月に発足した厚生科学研究（現：厚生労働科学研究）は，2006年度には「フッ化物応用による歯科疾患予防プログラムの構築と社会経済的評価に関する総合的研究」（H18-医療-一般-019）（主任：眞木吉信）に改組され，フッ化物摂取基準の策定は歯科保健を推進するうえで必須であり，ライフステージごとに飲食物からのフッ化物摂取量と歯磨剤の口腔内残留量も加味して，摂取の目安量（AI）と摂取上限量（UL）を設定した．

　フッ化物摂取の目安量の基準は，疫学的調査からう蝕罹患率を有意に減少させる体重1 kgあたり0.02〜0.05 mg/kgである事実[6,8〜12]に基づいて，その高い値である0.05 mg/kg/dayとした．また上限量（UL）の基準は，LOAEL値を参照して0.1 mg/kg/dayと設定した．

　この上限量はフッ化物摂取による健康障害の発現ではなく歯の審美的副作用である[3]．この体重あたりの目安量と上限量に各年齢層の日本人の基準体重[4]を乗じて男女別に8〜9歳までの摂取基準値を設定した（**表1**）．さらに「歯のフッ素症」のmoderateが進行する臨界副作用（critical adverse effect）の感受性年齢（susceptible age groups）は病理学的には8歳までである[14]．したがって日本人の食事摂取基準の年齢区分における10歳以上の上限量は，成人の体

表1 ライフステージに応じたフッ化物摂取基準

年齢	フッ化物（mgF/日）					
	男			女		
	目安量 (mg)	上限量 (mg)	基準体重 (kg)	目安量 (mg)	上限量 (mg)	基準体重 (kg)
0〜5（月）	母乳栄養児 0.01	0.66	6.6	母乳栄養児 0.01	0.61	6.1
0〜5（月）	人工栄養児 0.33	0.66	6.6	人工栄養児 0.31	0.61	6.1
6〜11（月）	0.44	0.88	8.8	0.41	0.82	8.2
1〜2（歳）	0.60	1.19	11.9	0.55	1.10	11.0
3〜5（歳）	0.84	1.67	16.7	0.80	1.60	16.0
6〜7（歳）	1.15	2.30	23.0	1.08	2.16	21.6
8〜9（歳）	1.40	2.80	28.0	1.36	2.72	27.2
10〜11（歳）	1.78	6.0	35.5	1.79	6.0	35.7
12〜14（歳）	2.50	6.0	50.0	2.28	6.0	45.6
15〜17（歳）	2.92	6.0	58.3	2.50	6.0	50.0
18〜29（歳）	3.18	6.0	63.5	2.50	6.0	50.0
30歳以上	3.40	6.0	68.0	2.64	6.0	52.7

注1）年齢層の区分は日本人の食事摂取基準（2005年版）に依拠している
注2）母乳栄養児は母乳中フッ化物濃度が0.01 ppm（中央値）であり，摂取量1,000 mlとして算出した
注3）目安量と上限量は，食品，飲料水，栄養補助食品およびフッ化物配合歯磨剤からの摂取量である

表2 妊婦・授乳婦のフッ化物摂取基準（mgF/日）

妊婦/授乳婦	目安量（mg）	上限量（mg）
妊婦	2.5	6.0
授乳婦	2.5	6.0

重を約60 kg[4]）と仮定して，0.1 mg/kg×60 kg＝6 mg/dayと推定し，男女ともに6 mg/dayに統一した（**表1**）．

また，妊婦と授乳婦における目安量と上限量の範囲では，母乳にはフッ化物は移行しない事実[15,16]，胎児への移行も制限されるという事実[17,18]から15〜29歳女性の目安量および上限量と同じ値に設定した（**表2**）[19]．

●フッ化物の「栄養」としての位置づけは全身応用（水道水フロリデーションなど）の普及を促進し，健康格差の解消をもたらす

このような日本人の年齢に応じたフッ化物摂取基準の策定は，フッ化物を「栄養」として位置づけるとともに，日本における普及が停滞しているフッ化物の全身的な応用を促進し，国民病的なう蝕を中心とした歯科疾患の予防に著し

く貢献するために，将来的には無駄な歯科医療費の削減にもつながる国家規模の施策であると考えられる．具体的な効用としては，第一にフッ化物添加食品の評価基準が明確になり，新製品の開発につながるので，「キシリッシュプラスF」（明治製菓）のようなフッ化物添加食品のメニューが増加し，う蝕予防を楽しく推進することができる．第二に，フッ化物サプリメント（tablet, drops）の導入で，日本でも栄養補助食品としてのフッ化物錠剤や液剤が店頭に並ぶことが可能になる．最後に，水道水フロリデーションの促進が期待される．

　日本においては，水道水へのフッ化物の人工的な添加による歯科疾患の予防は過去の経験だけで，現在はまったく導入されていない．しかし，フッ化物が「病気に対する薬物」ではなく「健康のための栄養」と位置づけられるならば，水道水への 0.8 ppm 以下のフッ化物イオンの添加は広く普及する可能性が高いと思われる．さらに，この方法は「健康格差」を是正するきわめて平等な公衆衛生的手段であり，乳幼児から高齢者まですべての人々に大きな恩恵をもたらすことになる．

（眞木吉信）

文　献

1) McDonagh M, Whiting P, Bradly M, Cooper J, Sutton A, Chestnutt I, Misso K, Wilson P, Treasure E, Kleijinen J.：A systematic review of public water fluoridation. The University of York, York, 2000.
2) U. S. Department of Health and Human Services：Recommendations for using fluoride to prevent and control dental caries in the United State. MMWR（Morbidity and Mortality Weekly Report）Vol. 50, No. RR-14, Centers for Disease Control and Prevention, Atlanta, 2001.
3) Standing Committee on the Scientific Evaluation of Dietary Reference Intakes, Food and Nutrition Board, Institute of Medicine：Dietary reference intakes for calcium, phosphorus, magnesium, vitamin D, and fluoride. National Academy Press, Washington, D. C., 1997, 288-313,.
4) 厚生労働省健康局総務課生活習慣病対策室調査係：日本人の食事摂取基準（2010年版）付録④諸外国の食事摂取基準，第一出版，東京，2020．
5) Murakami T, Narita N, Nakagaki H, Shibata T, Robinson C：Fluoride intake in Japanese children aged 3-5 years by the duplicate-diet technique. *Caries Res*, **36**：386-390, 2002.
6) Nohno K, Sakuma S, Koga H, Nishimuta M, Yagi M, Miyazaki H：Fluoride intake from food and liquid in Japanese children living in two areas with different fluoride concentrations in the water supply. *Caries Res*, **40**：487-493, 2006.
7) Tomori T, Koga H, Maki Y, Takaesu Y：Fluoride analysis of foods for infants and estimation of daily fluoride intake. *Bull Tokyo Dent Coll*, **45**：19-23, 2004.
8) McClure FJ：Ingestion of fluoride and dental caries. Quantitative relations based on food and water requirements of children one to twelve years old. *Am J Dis Child*, **66**：362-369, 1943.

9) Ophaug RH, Singer L, Harland BF：Estimated fluoride intake of average two-year-old children in four dietary regions of the United States. *J Dent Res*, **59**：777-781, 1980.
10) Ophaug RH, Singer L, Harland BF：Dietary fluoride intake of 6-month and 2-year-old children in four dietary regions of the United States. *Am J Clin Nutr*, **42**：701-707, 1985.
11) Dabeka RW, Mckenzie AD, Conacher HBS, Kirkpatric DC：Determination of fluoride in Canadian infant foods and calculation of fluoride intakes by infants. *Can J Pub Hlth*, **73**：188-191, 1982.
12) Featherstone JDB, Shields CP：A study of fluoride intake in New York State residents. Final report. Albany. NY, New York State Health Department, 1988.
13) Dean HD：The investigation of physiological effects by the epidemiological method, Fluorine and dental health. American Association for the Advancement of Science, Washington, D. C., 1942, 23-31.
14) Fejerskov O, Thylstrup A, Larsen MJ：Clinical and structural features and possible pathogenic mechanisms of dental fluorosis. *Scand J Dent Res*, **85**：579-587, 1977.
15) Ekstrand J, Boreus LO, de Chateau P：No evidence of transfer of fluoride from plasma to breast milk. *Br Med J*. **283**：761-762, 1981.
16) Ekstrand J, Spak CJ, Falch J, Afseth J, Ulvestad H：Distribution of fluoride to human breast milk following intake of high doses of fluoride. *Caries Res*, **18**：93-95, 1984.
17) Gupta S, Seth AK, Gupta A, Gavane AG：Transplacental passage of fluorides. *J Pediatr*, **123**：139-141, 1993.
18) Leverett DH, Adair SM, Vaugham BW, Proskin HM, Moss ME：Randomized clinical trial of the effect of prenatal fluoride supplements in preventing dental caries. *Caries Res*, **31**；174-179, 1997.
19) フッ化物応用研究会（眞木吉信）著．日本におけるフッ化物摂取量と健康（フッ化物摂取基準策定資料）．社会保険研究所．2007；5-6．

Chapter 13

フッ化物の IQ，神経系統への影響

Q 推奨されているフッ化物濃度の水道水を利用することが，小児の知能指数（IQ）や神経系統に影響を与えることがありますか？

A 水道水フロリデーションの利用により，小児の知能指数（IQ）低下や神経系統に悪影響を与えることはありません．多くの研究報告やシステマティックレビュー，報告書により，推奨基準となっているフッ化物イオン濃度（0.7 ppm）で調整された水道水を利用することが，小児に対してIQを低下させることはなく，また神経系統への悪影響もないと判断されています．
米国では，水道水フロリデーションが普及拡大した1940～1990年代の間に，米国人の平均IQスコアは15ポイント改善しています．

●影響があるとした報告，研究論文の問題点

"水道水フロリデーションが小児の IQ を低下させる"との報告が反対論者たちに利用されている．しかし，調査地域のほとんどが中国，メキシコ，インド，イランであり，栄養面や種々の環境条件が先進諸国の生活様式と実質的な差がある国々であった．また，IQに影響があるとされている栄養状態や社会経済的状態，ヨウ素欠乏，地下水に含まれるヒ素・鉛の濃度などの重要な交絡因子はまったく（またはほんの一部しか）考慮されていなかった．したがって，調査データの偏りリスクが大きく，研究デザインは仮説検証を行うには不適切なもので，学術論文としての要件が備わっていなかった[1,2]．

一方，水道水のフッ化物イオン濃度が推奨された濃度に調整されている米国では，1940～1990年代の間に，平均IQスコアは15ポイント改善した．水道水

フロリデーションが多数の米国人に着実に拡大された同期間に，このIQ改善（十年あたり約3ポイント）がもたらされたことになる[3]．

一般報道で頻繁に取り上げられた最近の事例として，2017年，2019年に発表されたメキシコ，カナダでの研究[4,5]がある．それらの研究では，「妊娠母体のより高い尿中フッ化物濃度は，その母親から生まれた子どもの認知機能試験スコアがより低いことと関連していた」と結論付けている．しかしながらその研究は「観察研究」に分類されるもので，その研究定義から認められるごとく，フッ化物摂取とIQとの「関連性」が示されるというものであり，「因果関係」を示すというものではなかった．

また，地域特性などIQに関連する様々な要因を調べておらず，フッ化物とIQに共通する背景因子（交絡因子）があるために，見せかけの関連が認められている可能性がある．例えば，メキシコの研究では，調査対象人数が少なく，母乳栄養，出産年齢，妊娠期間，生下時体重，教育環境，また鉛，水銀，ヒ素，ヨウ素摂取量等の考慮がなされていない．カナダの研究では，アンケートにより水道水，お茶，コーヒーなどの飲料水からフッ化物摂取量を推定しているが，この推定方法の妥当性は検証されていない．また，フッ化物はさまざまな食品に含まれており，特に海産物には多くのフッ化物が含まれているが，これらの食品からの摂取も考慮されていない．

したがって，今回の不備のある研究が今までの先行研究の結果を覆すとは考えられておらず，アメリカ歯科医師会のみならず[1]，米国小児科学会でも引き続きう蝕予防のフッ化物応用を推奨している[6]．

●国・保健専門機関のシステマティックレビューおよび報告書の見解

2006年，米国環境保護局（EPA）からの要請を受けた米国国立研究評議会（National Research Council）は，その報告書[5]のなかで，反対論者が利用した中国研究については「有意性を評価ができない」としている．すなわち，「そのほとんどの報告書は簡略化されたレポートで，科学論文に求められる重要手順である盲検法でIQ試験が行われたかどうかの記述がない．この種の試験には，実施に伴うストレスが結果に影響する．測定試験に環境条件や試験問題そのものに関する記述がないので，研究の質レベルを評価することができなかった」との見解を表明した．

2009年，英国の南中央健康政策局（SCSHA）は，英国以外の国々で調査された水道水中のフッ化物とIQの関連性をテーマとした19の研究論文との要約報告について科学的レビュー[6]を行った．このレビューは，対象となった論文や報告では研究のデザインと調査方法に重大な欠陥があり，また，結果に偏りをもたらす交絡因子に対する配慮が欠如していることを指摘した．その結論として，「これらの研究報告だけでは，フッ化物が認知知能の発達に悪影響を持つかどうかをまったく確認できない」と評している．

　2011年，欧州の健康と環境リスク科学委員会（SCHER）の『水道水フロリデーションによるフッ化物の影響に関するレビュー』では[7]，動物とヒトを対象とした研究が分析評価されおり，「EU認可の濃度基準の飲料水フッ化物イオン濃度によって，子どものIQに悪影響が生ずるとの証拠は不十分である」とした．

　2014年のニュージーランド首相付科学顧問とニュージーランド王立協会（RSNZ）会長から委任を受けて行われた『水道水フロリデーションによる健康影響：科学的エビデンスレビュー』[8]，2015年のアイルランド健康研究会議（IHRB）の『水道水フロリデーションによる健康調査報告』[9]，2017年のオーストラリア国立健康医学研究評議会（ANHMRC）の『水道水フロリデーション：歯と全身の健康』[10]，これら全ての報告書の見解において，「水道水フロリデーションと，小児および成人の認知機能との関係は全くない」と結論付けている．

　これらの報告書のいずれにおいても高く信頼されているニュージーランドの研究（2014年）[11]が利用されている．研究対象は，1970年代に生まれた者，1,000人以上とし，7，9，11，13および38歳においてIQが測定され，また出生初期からの種々の摂取源からのフッ化物量が記録された．そして，一般的にIQに影響するとされている交絡因子による調整を行った後に，データの統計分析が行われた．これらの交絡因子には，両親の社会経済的要因，対象者の生下時体重，母乳育児，そして二次的・三次的教育履歴が含まれていた．そしてこの研究では，「水道水フロリデーションが，神経機能やIQへの影響を示すとのデータは全く見いだせなかった」と結論付けられている．

●動物実験における影響の評価

　2018年2月に米国国立環境健康科学研究所（NIEHS）の支援を受けて環境科

学専門チームが行った最新の動物実験報告がある[12]．その研究では，雄ラットが実験に供され，標準飼料（20.5 ppmF）と低フッ化物飼料（3.24 ppmF）と，それぞれ 0，10，20 ppmF 飲料水の条件で，胎生齢 6 日目から成獣期まで飼育された．結果として，このレベルのフッ化物摂取量において，実験ラットでは運動機能，感覚機能，学習や記憶機能をはじめ，生理機能，また甲状腺ホルモン（TSH，T3，T4）の値，各臓器の病理学的所見等に対する影響は全く認められなかった．20 ppm 飼育群においてのみ前立腺の軽度炎症が観察されたが，このラット飼育に用いられた飲料水のフッ化物イオン濃度は水道水フロリデーションの条件と大きな隔たり（28 倍以上）があった．

●結論

　質の高い疫学研究や動物実験，加えて，国・保健専門機関のシステマティックレビュー，報告書により，「水道水フロリデーションの利用により，小児の知能指数（IQ）低下や神経系統に悪影響はない」と結論付けられ続けている．

（晴佐久悟，小林清吾）

参考文献
1) ADA：Fluoridation Facts 2018, Chicago Illinois, 2018. p62-64.
2) American Academy of Pediatrics：Harvard Study on Fluoride & Neurotoxicity：Not What it Seems.（http://www.ilikemyteeth.org/harvard-study-fluoride-neurotoxicity/）（2018 年 6 月 30 日アクセス）
3) American Academy of Pediatrics：Does Fluoride Lower IQs?
（https://ilikemyteeth.org/fluoridation/dangers-of-fluoride/fluoride-iqs/）（2018 年 6 月 30 日アクセス）
4) Bashash M, et al：Prenatal fluoride exposure and cognitive outcomes in children at 4 and 6-12 years of agein Mexico. Environ Health Perspect, **125**（9）：097017-1-12, 2017.
5) Green R et al. Association Between Maternal Fluoride Exposure During Pregnancy and IQ Scores in Offspring in Canada. JAMA Pediatr, **173**（10）：940-948, 2019.
6) American Academy of Pediatrics：AAP continues to recommend fluoride following new study on maternal intake and child IQ.
（https://www.aappublications.org/news/2019/08/19/fluoride081919）（2024 年 4 月 10 日アクセス）
7) National Research Council of the National Academies. Division on Earth and Life Studies. Board on Environmental Studies and Toxicology Committee on Fluoride in Drinking Water：Fluoride in drinking water：a scientific review of EPA's standards：Washington, DC, National Academy Press, 2006.
8) Bazian Ltd：Independent critical appraisal of selected studies reporting an association between in drinking water and IQ. a report for South Central Strategic Health Authority, delivery date 11th February 2009. London, 2009.

9) Scientific Committee on Health and Environmental Risks (SCHER) of the European Commission : Critical review of any new evidence on the hazard profile, health effects, and human exposure to fluoride and the fluoridating agents of drinking water, 2011.
10) Royal Society of New Zealand and the Office of the Prime Minister's Chief Science Advisor : Health effects of water fluoridation : a review of the scientific evidence, 2014.
11) Sutton M, et al : Health effects of water fluoridation : an evidence review. Ireland Health Research Board, 2015.
12) Australian Government. National Health and Medical Research Council (NHMRC): International paper-water fluoridation : dental and other human health outcomes. Canberra, 2017.
13) Broadbent JM, et al : Community water fluoridation and intelligence : prospective study in New Zealand. Am J Public Health, **105** (1) : 72-76, 2015.
14) McPherson CA, et al : An Evaluation of Neurotoxicity Following Fluoride Exposure from Gestational Through Adult Ages in Long-Evans Hooded Rats. Neurotox Res, 2018. doi : 10.1007/s12640-018-9870-x.

Chapter 14

フッ化物配合歯磨剤と
チタンインプラント周囲炎の関連性

チタンインプラント利用者はフッ化物配合歯磨剤を使ってはいけないのですか？

近年,「フッ化物配合歯磨剤がチタン製インプラントを腐食させ,その腐食部位に細菌が付着し,インプラント周囲炎を引き起こす」という主張がなされています．そこで日本口腔衛生学会では,フッ化物配合歯磨剤がインプラント周囲炎のリスクになるか評価することを目的として,ヒトを対象とした疫学研究および5つの観点から基礎研究を文献データベースより収集しました．その結果をまとめると,実際にヒトを対象とした疫学研究は皆無で,基礎的な実験研究からもチタンインプラント利用者にフッ化物配合歯磨剤の利用を中止する理由はなく,むしろ中止によるう蝕発病リスクの増加が懸念されます．

　歯科においてチタンはインプラントや矯正用ワイヤーなどの材料として口腔内で利用されることのある金属である．近年,「口腔内のインプラントのチタン材料（以下チタン材）がフッ化物配合歯磨剤に含まれる低濃度のフッ化物で腐食する可能性があり,そして腐食した場合に表面に凹凸ができるので細菌の付着が増加し,その結果,インプラント周囲炎が生じる」ことが指摘され,フッ化物配合歯磨剤の利用を避けることが提唱されている[1]．さらに,複数の学会においてフッ化物を配合しないインプラント専用歯磨剤を推奨するセミナーが開催されているようである．

　一方で,フッ化物配合歯磨剤は,複数の無作為化割付臨床試験により,う蝕の予防効果が成人や高齢者においても高いことが知られている[2]．他方,フッ化物配合歯磨剤のインプラント周囲炎のリスクについては,ごく一部の基礎研

究による推論であり，実際にヒトの口腔内でこうしたリスクが存在するかは明確でない．そこで日本口腔衛生学会では，こうしたテーマについて文献をレビューし，フッ化物配合歯磨剤がヒトの口腔内のインプラントに対してどれだけの害があるのか検証した[3]．

また，著者が実施したブラッシング後のフッ化物口腔内残留量に関する検証研究を基に評価した結果を示し，フッ化物とチタンの関係について考察したい．

1. 日本口腔衛生学会による文献レビュー

日本口腔衛生学会フッ化物応用委員会がレビュー対象とした学術情報は，主に1995～2014年に国内外の学術雑誌に掲載された関連論文であり，原著が28編，総説が5編の計33編であった．このうち国内誌が8編，英文誌が25編である．なお，商業誌の論説や企業の解説書は，これらの学術誌情報のいずれかから引用されたものであるため，今回のレビュー対象から除外した．

1) 人を対象とした疫学研究はあったか？

まず，ヒトを対象とした疫学研究や症例研究の有無を調査した．その結果，フッ化物とチタンの関係について述べた研究は，レビュー以外は総て実験室での研究（*in vitro* 研究）によるものであり，人を対象とした疫学調査でリスクの程度を確認したものはなかった．すなわち，リスクの根拠のほとんどが *in vitro* 研究による可能性であることが確認された．

2) 基礎的な実験研究の内容

それでは，*in vitro* 研究の内容はどのようなものなのだろうか？　基礎研究を多角的に検討した結果，以下のことが明らかとなった．

(1) フッ化物によるチタン材表面への侵襲性について

pHが4.7以下の酸性の場合，フッ化物配合歯磨剤によってチタンの侵襲が生じる可能性はあるが，現在市販されているほとんどのフッ化物配合歯磨剤は，中性または弱アルカリ性であるため，侵襲の可能性は極めて低いと考えられた．

(2) ブラッシング条件を考慮した場合のフッ化物によるチタン材表面の侵襲作用について

歯磨剤を併用しないブラッシング（からみがき）や，フッ化物無配合歯磨剤

を使用したブラッシングでも，チタン表面の傷による凹凸が生じる．さらに，同じブラッシング条件下では，フッ化物配合歯磨剤と無配合歯磨剤のチタンの侵襲程度に有意差がなかった．また，チタンの変色は純水でも発生しており，純水と影響が変わらないフッ化物製剤も存在した．

(3) フッ化物によりチタン材が侵襲された場合に，細菌付着が異なるのか

チタン表面が侵襲されて凹凸が生じた場合に，細菌の付着が増加すると思われていたが，S. mutans や P. gingivalis の付着程度に差はなかった．また，フッ化物の利用により，むしろ細菌の付着が抑制された報告も存在した．

(4) フッ化物配合歯磨剤の唾液による希釈と口腔内でのフッ化物濃度について

実際の口腔内には唾液が存在するため，希釈によって歯磨剤のフッ化物濃度は低下するので，チタンによる侵襲の可能性は低いと考えられた．

(5) フッ化物による細菌の酸産生能の低下と口腔内 pH の変化について

フッ化物配合歯磨剤の毎日の利用で細菌の酸産生能が抑制されて，口腔内のpH の低下が抑制される．この効果は糖質が口腔内に存在する場合に，より大きかった．そのため，フッ化物配合歯磨剤の利用によって，チタンが侵襲される pH にはならないと考えられた．

以上のことから，フッ化物配合歯磨剤がチタン製インプラントに対して害があるとはいえないと考えられる．むしろ，フッ化物配合歯磨剤を中止することによるう蝕発病のリスクのほうが明白であり，この点を考慮すればチタン製インプラントを埋入している患者に対してフッ化物応用を中止する意味はないといえる．

● 2. フッ化物配合歯磨剤を用いたブラッシングによる口腔内フッ化物イオン残留量

上記の文献レビューではヒトを対象としたフッ化物配合歯磨剤による口腔内におけるフッ化物の動向に関する研究は見当たらなかった．そこで，筆者は簡易的にヒトを対象とした実験を行った．内容としては，フッ化物配合歯磨剤でブラッシングを行い，その後，口腔内に残留したフッ化物のイオン残留量と pH 値を測定し，フッ化物配合歯磨剤のチタン製インプラントに対する為害作用の可能性を検討した．

1）対象，材料およびブラッシング方法

対象者は全身疾患がなく，薬剤の服用もない成人女性（20〜21歳）5名とした．用いたフッ化物配合歯磨剤はクリニカアドバンテージハミガキ®シトラスミント（ライオン）で，フッ化物イオン濃度は950 ppmであった．使用歯ブラシは，一般的な形態で毛先の硬さと弾力についての「普通」のPCクリニカライオンハブラシ®（ライオン）を選択した．ブラッシング方法はフッ化物イオンの口腔内残留量を考慮して，①イエテボリ法[4]，②イエテボリ改良法[5]，③従来のフラッシング方法（ブラッシング後，5秒間の洗口を10回行ってもらう方法）の3種類を選択した．

2）唾液の採取方法

唾液の採取に関しては，①ブラッシング直前，②ブラッシング直後，③5分後，④15分後，⑤30分後，⑥1時間後の合計6回，採取を行った[6]．ブラッシング直前に関してはプラークなどの影響を最小限にとどめるために10 mLの水にて5秒間の洗口を行ってから，その後，自然流出する安静時唾液を3分間測定して採取した．このブラッシング直前に計測した唾液に含まれたフッ化物イオン残留量をベースラインとして比較を行った．

3）フッ化物イオン残留量の測定方法

採取した唾液1 mLにTISAB Ⅲ（全イオン強度補正緩衝液）を100 μL加え，フッ化物イオンメーター（model SA270：Orion）とフッ化物イオン電極（Thermo Scientific Orion® 9609BNWP Fluoride Combination Ion Selective Electrode：Orion）を用いてフッ化物イオン濃度の測定を行った．各ブラッシング方法間の口腔内フッ化物イオン残留量の比較にStudent-t検定を用いた．

4）唾液のpH測定方法

採取した唾液100 μLを試料とし，Twin pH（model B-212 HORIBA：堀場製作所）を用いて測定を行った．

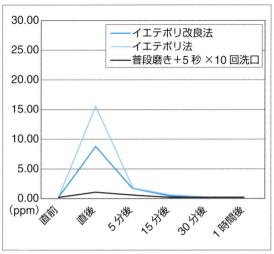

図1 唾液中のフッ化物イオン残留濃度（ppm） 各ブラッシング法の平均

5）ブラッシング前後の唾液中フッ化物イオン濃度および唾液 pH の推移の実験結果

(1) ブラッシング直後の唾液中フッ化物イオン濃度は，高いもので平均 15 ppm，洗口回数が多いものでは 1 ppm であった（**図2**）。
(2) 洗口回数により口腔内フッ化物イオン残留量には差がみられることが分かった．しかし，いずれのブラッシング法においても，5分後の残留濃度で 4 ppm を越える例はなかった（**図1**）．
(3) 口腔内のフッ化物イオン残留濃度に個人差があった要因として唾液流出量が関与していることが考えられた．
(4) ブラッシング前後の唾液 pH は，7.0〜7.3 の間を推移して大きな変化はなかった（**表1**）．

　これらの結果は，これまで学術論文として報告されてきた実験条件が，フッ化物イオン濃度の設定や作用時間および pH 環境の点で，現実的な臨床環境からはかけ離れたものであることがわかった．

　以上，今日までの学術知見を総合して判断すると，チタン材を使用している

表1 フッ化物配合歯磨剤を用いたブラッシング前後の唾液pHの変化

	実験前	直後	5分後	15分後	30分後
A	7.2	7.0	6.8	7.2	7.2
B	7.0	7.3	7.0	6.9	7.0
C	7.0	7.4	6.8	7.1	7.1
D	7.4	7.2	7.4	7.0	7.0
E	7.0	7.5	7.1	7.0	6.8
平均	7.1	7.3	7.0	7.0	7.0

使用歯磨剤：クリニカアドバンテージ　ソフトミント（ライオン）
一回使用量：1〜2 cm
歯磨剤　pH：7.8

　インプラント装着者や矯正治療患者においては，プロフェッショナルケアとしての9000 ppmFでpHが4.0以下のフッ化物歯面塗布剤（リン酸酸性フッ化ナトリウム：APFなど）の応用は避けるべきであるが，ホームケアとしてのフッ化物配合歯磨剤の利用を控えるべき科学的根拠は認められなかった．さらに，学術的根拠の明らかな齲蝕予防効果から，天然歯を有する限り，フッ化物配合歯磨剤の利用はチタン製歯科材料使用者にも推奨すべきである[7]．

（眞木吉信）

文　献

1) 中川雅晴：インプラント体の表面性状と表面構造をどう考えるか　チタンとフッ素の関係．日本歯科評論，**72**（12）：29-34．2012
2) Griffin SO, Regnier E, Griffin PM, et al：Effectiveness of fluoride in preventing caries in adults. Journal of dental research 2007；**86**（5）：410-415. 2007.
3) 相田潤，小林清吾，荒川浩久，ほか：フッ化物配合歯磨剤はチタン製インプラント利用者のインプラント歯周炎のリスクとなるか，口腔衛生会誌，**66**（3）；308-315．2016.
4) Sjögren K, Birlhed D, Rangmar B：Effect of a modified toothpaste technique on approximal caries in preschool children. Caies Res：**29**；435-441. 1995.
5) 日本口腔衛生学会フッ化物応用委員会編：う蝕予防の実際　フッ化物局所応用実施マニュアル，東京，社会保健研究所，p77-124，2017.
6) 戸田真司，宋　文群，荒川勇喜，荒川浩久：フッ化物配合歯磨剤の種類と唾液中フッ化物保持の関係，口腔衛生会誌，2008，**58**（4）．
7) 眞木吉信．フッ化物配合歯磨剤とチタンインプラント周囲炎の関連性：日本口腔衛生学会の見解「チタンインプラント利用者にもフッ化物配合歯磨剤の利用を推奨する」．日本口腔インプラント会誌．2017：**30**（3）：174-181.

Chapter 15

高濃度フッ化物配合歯磨剤（1,000を超え1,500 ppmを上限とする）に関する考え方と使用方法

フッ化物イオン濃度 1,500 ppm を上限とする歯磨剤が日本で初めて承認されましたが，安全性に問題はないのでしょうか？

欧米諸国のみならず，国際的な基準を設定するISOもすでにフッ化物配合歯磨剤の上限を 1,500 ppm と決定していた[1]わけで，今回の厚生労働省の認可は大いに歓迎すべきではありますが，遅すぎたともいえます．ただし，厚生労働省通知では，フッ化物イオン濃度 1,000 ppm（0.1%）を超え 1,500 ppm（0.15%）を上限とする薬用歯みがき類の使用に関しては，下記の事項が付記されました．

> 使用上の注意として，以下の事項を直接の容器等に記載すること．ただし，十分な記載スペースがない場合には，(2) の記載を省略してもやむを得ないこと．
> 　　(1) 6歳未満の子どもには使用を控える旨
> 　　(2) 6歳未満の子どもの手の届かない所に保管する旨
> また，フッ化物のフッ素としての配合濃度を直接の容器に記載すること．

　フッ化物配合歯磨剤は，家庭や職場でのセルフケアによるう蝕予防手段として，欧米の先進諸国では 1970 年代から 80 年代にかけて急速に普及し，小児う蝕の急激な減少をもたらしたことは高く評価されている．その結果，歯磨剤に対する考え方も，表1のようにこれまでの「歯みがきの補助剤」から，未成熟な歯にも対応した「積極的な予防剤」へと変化してきている[2]．欧米各国におけるフッ化物配合歯磨剤の市場占有率（シェア）は 1990 年代で 90% 以上で，

表1 フッ化物配合歯磨剤に対する考え方の新旧比較

変更点	現在・将来	従来
位置づけ	積極的な予防剤	歯磨きの補助剤
う蝕予防効果	歯ブラシ＜フッ化物配合歯磨剤	歯ブラシ＞フッ化物配合歯磨剤
応用法	フッ化物配合歯磨剤の応用重視	ブラッシングテクニック重視
使用開始年齢	乳歯の萌出直後（0〜1歳）	うがい可能な年齢
使用期間	生涯にわたって	小児期（永久歯の萌出終了まで）
応用量	0歳から成人まで年齢に即した応用量	特に規定なし
フッ化物イオン濃度	0歳から成人まで年齢に即したフッ化物イオン濃度	特に規定なし
ブラッシング後のうがい	5〜15 ml の水で一回のみ	歯磨剤が口腔から消失するまで何回も

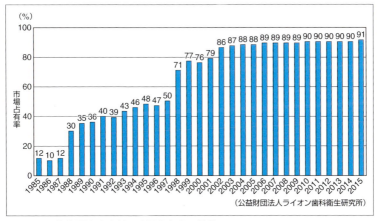

図1 フッ化物配合歯磨剤の市場占有率の推移

それらの国々でのう蝕減少への貢献度は極めて高いといえる．一方，わが国では，1980年代中期には市場占有率が10％まで低迷していたが，後半にかけては30％を超すまでに増加し，2010年には90％に上昇し，2015年に91％になった（図1）[3]．

●1. フッ化物イオン濃度 1,500 ppm を上限とするフッ化物配合歯磨剤が日本で承認された

　厚生労働省は，2017年3月17日付でフッ化物イオン濃度（フッ素濃度）1,000〜1,500 ppm のフッ化物配合歯磨剤を日本ではじめて医薬部外品として承認した．フッ化物を配合する歯みがき類（ブラッシングを行うもので，液体の剤形を除く）で最も高濃度のものはこれまで，フッ素として 1,000 ppm（0.1%）を配合するものであったが，今回，濃度 1,500 ppm（0.15%）を上限とする高濃度のフッ化物を配合する薬用歯みがき類が医薬部外品として承認された．

　今回の通知では，フッ化物イオン濃度 1,000 ppm（0.1%）を超え 1,500 ppm（0.15%）を上限とする薬用歯みがき類の使用に関して，下記の事項が付記された．

＜厚生労働省通知＞
1) 使用上の注意として，以下の事項を直接の容器等に記載すること．ただし，十分な記載スペースがない場合には，(2) の記載を省略してもやむを得ないこと．
　(1) 6歳未満の子どもには使用を控える旨
　(2) 6歳未満の子どもの手の届かない所に保管する旨
2) また，フッ化物のフッ素としての配合濃度を直接の容器に記載すること．ただし，1. の記載と別の記載箇所であっての差し支えないこと．

　1,000 ppm 以上のフッ化物イオン濃度では，500 ppm 高くなるごとに6%のう蝕予防効果の上昇がみられることは疑いのない事実（WHO Technical Report No. 846, 1994）[4,5]なので，1,000 ppm を超えるフッ化物配合歯磨剤は，歯根面う蝕を主とした成人のう蝕予防には欠かせないものとなる．また，上記の通知にあるように，製品に含まれるフッ化物イオンの濃度（フッ素濃度）表示が必須となったため，一般市民がより意識的に，フッ化物配合歯磨剤を選択しやすくなったといえる．注意点としては，フッ化物イオン濃度が 1,000 ppm を超える歯磨剤の使用は，表2 に示したように15歳未満の小児期には適さないと考えられていることである[4,5]．ちなみに，上記の通知ではフッ化物イオン濃度が 1,000 ppm を超える製品についてのみその濃度表示が求められているのだが，このような現状も考慮して，ISO が勧告しているように[1]，フッ素イオンの濃度表示に関しては小児用も含めた従来品への表示の普及も要望しているところである．

表2 フッ化物配合歯磨剤の年齢別応用量とフッ化物イオン濃度

年齢	使用量	歯磨剤のF濃度	洗口その他の注意事項
6カ月（歯の萌出）〜2歳	切った爪程度の少量	500 ppm（泡状歯磨剤であれば1,000 ppm）	仕上げみがき時に保護者が行う
3〜5歳	5 mm程度	500 ppm（泡状またはMFP歯磨剤であれば1,000 ppm）	就寝前が効果的 歯みがき後5〜10 mLの水で1回のみ洗口
6〜14歳	1 cm程度	1,000 ppm	就寝前が効果的 歯みがき後10〜15 mLの水で1回のみ洗口
15歳以上	2 cm程度	1,000〜1,500 ppm	就寝前が効果的 歯みがき後10〜15 mLの水で1回のみ洗口

● 2. ライフステージに応じたフッ化物配合歯磨剤の応用方法と効果的な使用方法

1,500 ppm濃度のフッ化物配合歯磨剤が承認されたところで，各ライフステージごとに推奨される濃度やブラッシングの方法などを概説したい．

1）フッ化物配合歯磨剤の年齢別応用量とフッ化物イオン濃度

まず濃度であるが，これまで報告された知見に基づく年齢別応用量とフッ化物イオン濃度の詳細について**表2**に示した．

6カ月（歯の萌出）から2歳までについては，水道水フロリデーションを実施している米国では応用を推奨していないが，フッ化物の全身的応用がまったくないわが国においては，歯の萌出直後からの低濃度（500 ppm，ただし100 ppmなど500 ppm未満の濃度のフッ化物配合歯磨剤にはう蝕の予防効果が認められていない）[4,5]フッ化物配合歯磨剤の応用が積極的に推奨されるべきであると考えられる．

3歳から5歳までは，応用量を先端から5 mmに制限した500 ppmのフッ化物配合歯磨剤を推奨する．6歳から14歳の学齢期では従来の1,000 ppmのフッ化物配合歯磨剤を奨める．

今回認可された1,000 ppmを超える歯磨剤の使用対象となるのは15歳以上の者で，応用量も2 cm程度（約1 g）使用するように指導を行う．

2）推奨される効果的な使用方法

　フッ化物配合歯磨剤によるう蝕予防メカニズムは，歯みがき終了後に歯面，プラーク，粘膜および唾液などの口腔環境に保持されたフッ化物イオンによる再石灰化と酸産生抑制効果が主であるといわれている．しかしながら，その応用効果は使用するフッ化物の応用量，作用時間，洗口回数ならびに方法などによって大きく左右されるので，一般に推奨される効果的なフッ化物配合歯磨剤の使用方法を以下に示す[6〜8]．

①歯ブラシに**表2**に示した年齢に応じた量の歯磨剤をつける
②みがく前に歯磨剤を歯面全体に広げる
③2〜3分間歯磨剤による泡立ちを保つような歯みがきをする（特に歯みがき方法にはこだわらない）
④歯磨剤を吐き出す
⑤10〜15 mLの水を口に含む
⑥5秒間程度ブクブクうがいをする（洗口は1回のみ）
⑦洗口は1回のみとし，吐き出した後はうがいをしない
⑧その後1〜2時間程度は飲食をしないことが望ましい

　さらに，フッ化物配合歯磨剤を用いたブラッシング回数は，1日2〜3回と頻度が高いことが望ましい．

（眞木吉信）

参考文献
1) ISO 11609：2010Preview：Dentistry―Dentifrices―Requirements, test methods and marking. https://www.iso.org/standard/38010.html
2) 眞木吉信，他編：保健生態学，第2版，医歯薬出版，東京，2017，p.173．
3) 公益財団法人ライオン歯科衛生研究所：フッ素配合歯みがき剤のシェアと12歳児のDMFT. 2016
　（https://www.lion-dent-health.or.jp/study/statistics/dmft.htm）
4) WHO Expert Committee on Oral Health Status and Fluoride Use. Fluorides and oral health. WHO Technical Report Series, Geneva, 1994, p26-33.
5) 高江洲義矩 監修：フッ化物と口腔保健―WHOのフッ化物応用と口腔保健に関する新しい見解―，一世出版，東京，2000．
6) 日本口腔衛生学会フッ化物応用委員会編：う蝕予防の実際　フッ化物局所応用実施マニュアル，社会保険研究所，東京，2017．
7) Koch G, Peterson LG：Community Dent. Oral Epidemiol：**3**；262-266.1975.
　http://wwwhourei.mhlw.go.jp/hourei/doc/tsuchi/T170317I0030.pdf
8) 日本口腔衛生学会・フッ化物応用委員会：フッ化物応用の科学　第2版，口腔保健協会，東京，2018．

Chapter 16

「フッ素についての10の真実」"10 Facts about Fluoride"のエビデンス・レベルを検証する

Q 「フッ素についての10の真実」"10 Facts about Fluoride"は本当に正しいのでしょうか？

A 「フッ素についての10の真実」の発信元である"Fluoride Action Network"という団体は米国の反フッ素団体で，インターネット上の記述にしても幾多の文献を付けて，さも真実らしく反フッ素の語りをしています．この団体の意向をくんで，日本では日本フッ素研究会や薬害オンブズパースン会議といった国内組織が単独で，時には日本教職員組合や日本弁護士連合会と組んで意見書なるものを作成したこともありますが，今回の「フッ素についての10の真実」も含めて内容はいつも恣意的・稚拙で，決して正しいとは言えません．

う蝕の予防に対するフッ化物の応用が有効であることは，歯科医療や歯科保健にかかわりのある人々のみならず，一般の人々にも広く行き渡っている事実であることは誰も否定することはできない．実際に，薬局でなくともコンビニやスーパーで市販されている歯磨剤の90％を超える製品には，う蝕予防のためにフッ化物が含まれている（Chapter 4，26頁参照）[1]．ところが，世の中には「私たちは，知らない間に，それも毎日（！），口の中に人体にとって有害な物質"フッ素"をいれている」[2]と脅すような人や団体があり，毎日のようにネット配信をしていることも事実である．

●1.「フッ素」は薬ではなく，う蝕を予防する「栄養」である

日本では，「フッ化物」の応用が歯面塗布，洗口および歯磨剤といった局所応用手段に限られ，そこで使用される高濃度のフッ化物は，薬物または薬用成分

表1 「フッ素についての10の真実」の項目

タイトル
真実1　ほとんどの先進国では水道水にフッ素は添加していない．
真実2　フッ素添加している国のむし歯罹患率は，していない国より低いとは言えない．
真実3　フッ素は身体の機能を低下させ疾病の要因となる．
真実4　水道水フロリデーションは不自然なプロセス？
真実5　約40％の米国の10代の子どもに歯牙フッ素症が観察されている
真実6　幼児への水道水フロリデーションのメリットはゼロ，リスクが有るのみ！
真実7　フッ素サプリメントはFDA（米食品医療品局）による認可を受けていない
真実8　フッ素は水道水に添加されている唯一の薬
真実9　フッ素を飲み込んでも歯にはほとんど効果がない
真実10　フッ素の危険性が最も高い地域は？

として位置づけられている．しかし，水道水フロリデーション，フッ化物サプリメントや食品へのフッ化物添加のような全身応用法は，フッ化物からイオン化した「フッ素」を健康の維持増進のための「栄養」として考えたものといえる[3]．米国や英国，EU諸国では，国民の食事摂取基準の中に，う蝕予防のためにフッ素（F）は1日あたり0.05 mg/kg摂取することが望ましいと位置づけている．この基準を満たすために，水道水にフッ化物を添加したり，食品に添加したり，サプリメントとして市販するようにしている．残念ながら，日本には「薬物」としてのフッ化物局所応用はあっても，このような「栄養」としての摂取基準が定められていないため，水道水フロリデーションのような全身応用はまったく普及していない．

●2.「フッ素についての10の真実」のエビデンス

表1は「フッ素についての10の真実」の各項目を示したものである．この発信元の"Fluoride Action Network"という団体は米国における名うての反フッ素団体であり，ネットの記述にしても，さも真実らしく幾多の文献を付けて反フッ素の語りをしている．この団体の意向をくんで，日本では日本フッ素研究会や薬害オンブズパースン会議といった国内組織が単独で，時には日本教職員組合や日本弁護士連合会と組んで，意見書なるものを作成したこともあるが，今回の「フッ素についての10の真実」も含めて内容はいつも恣意的で稚拙である．例えば，この10の真実のほとんどに及ぶ項目は，水道水フロリデーションかサプリメントといった全身応用の話であり，日本では一切あり得ない

ことばかりである．

●3.「フッ素についての10の真実」の【解説】

真実1　ほとんどの先進国では水道水にフッ素は添加していない

　水道水フロリデーションの実施率は，シンガポールや香港では100％，オーストラリアも90％を超え，米国では75％となっている．ヨーロッパ諸国のフッ化物全身応用としては水道水フロリデーションよりも，食塩への添加やサプリメントが多い．フランスやスイスでは食塩への添加が普通であり，EU諸国ではフッ素を栄養として位置付けているためサプリメントを市販しており，北欧諸国では生後6カ月から保健師に毎日の服用を勧められる．

真実2　フッ素添加している国のむし歯罹患率は，していない国より低いとは言えない

　フッ化物の応用は，水道水フロリデーションだけでなく，塗布，洗口，歯磨剤などの局所応用方法も多く用いられている．したがって，う蝕の予防効果は水道水フロリデーションのみに帰するものではない．特に現在では，フッ化物配合歯磨剤の普及が大きいと考えられている．また，経済的な事情で水道水の普及していないアジア・アフリカの途上国は，食生活も異なるため砂糖の消費量も格段に低く，先進国よりう蝕罹患率がもともと低いことは歯科専門職には常識であり，そのような国と水道水フロリデーションを実施している先進国を比較しても意味がない．

真実3　フッ素は身体の機能を低下させ疾病の要因となる

　原文には「知能を低下させる可能性がある36の研究がフッ素と低IQの間に相関関係があることを発見している．2012年7月，ハーバード大学の研究チームが，ごく低年齢の時期にフッ素の曝露をたくさん受けた子どもたちはIQのスコアが，低かったという中国でなされた大規模な疫学調査に基づいて警告した．フッ素添加水道水がIQを低下させる可能性があるというのは間違いなく重大な懸念事項です」とあるが，実際の引用文献から確認できた研究は27編で，すべて中国とイランの研究のみであった[4]．中国の血中フッ化物濃度とIQの内容については，①報告されたフッ化物濃度そのものがむし歯予防に利用される濃度とくらべてはるかに高いこと，②根拠となる個別の研究データの多くに，問題となるヒ素やその他の元素の濃度が記載されておらず，情報に不備が

あること，などが指摘され，IQ低下が報告されている中国の当該地域では何らかの解決策が必要であろうが，むし歯予防に利用するフッ化物に適用される情報ではないとされている．水道水フロリデーションが水道利用者の75％にまで普及した米国の調査では，経年的な水道水フロリデーションの普及と同調する形でIQが上昇してきているデータ（New Topic 1 参照）も示されている．

ハーバード大学在籍研究者によるフッ化物とIQとのEHP（環境健康展望）論文について「フッ化物は小児のIQを低下させるのではないか」[5]と発表したが，この領域のこれまでの研究成果から，米国医学界では「フッ化物が知能に影響を及ぼすという科学的根拠はない」としている．

その他に，フッ化物は「内分泌かく乱物質である」，また「甲状腺の機能に影響する」といった表現をしているが，フロリデーション水の摂取が甲状腺とその機能に影響を及ぼす科学的根拠はない．科学的特性から，フロリデーション水中のフッ化物イオンがヨウ素欠乏患者に健康リスクを生じさせることはなく，ヨウ素欠乏症を引き起こすこともないのは明らかな事実である．

さらに，「重度タイプの糖尿病が増加する」，「不妊との関連にはさらなる研究が必要」，「アルツハイマー病を引き起こす危険性を増加させるかもしれない」という表現は，実験データやこじつけた症例のみで，科学的に実証されたヒトの疫学データはない．

真実4　水道水フロリデーションは不自然なプロセス？

原文では「人工的なフッ化物添加のプログラムで添加されるフッ素のレベルは，多くの汚染されていない新鮮な水道から検出されるフッ素のレベルよりもはるかに高い」不自然なプロセスと言っているが，well water（井戸水）は，天然水そのものであるが，基準値を超える高濃度のフッ化物やその他のミネラルはもちろん，大腸菌などの細菌も含まれ，健康に対する安全性が低いので，飲料水としては天然水を加工した水に，塩素その他を加えて安全性を向上させたうえ，水道水を飲料水としている．ここでいう「汚染されていない新鮮な水道水」の意味が不明である．

日本では，フッ化物応用が歯面塗布，洗口および歯磨剤といった局所応用手段に限られ，そこで使用される高濃度のフッ化物は，薬物または薬用成分として位置づけられている．水道水フロリデーションや食品へのフッ化物添加のような全身応用法は，フッ化物を健康の維持増進の「栄養」として考えたものと

いえる．したがって，フッ素の摂取がう蝕を予防する基準値を下回らないように水道水に添加することやサプリメントとして補うことは，健康な生活を営むうえで欠かせない．

真実 5　約 40％の米国の 10 代の子どもに歯牙フッ素症が観察されている

「実際に多くの専門家が，子どもたちがフッ素添加の歯みがき粉を使用するだけで 1 日のフッ素摂取の許容量以上を飲み込んでしまう可能性があることを認めている．歯磨剤のラベルには毒性があると書いてあります」としている．米国製のフッ化物イオン濃度が 1,000 ppm を超える大人用のフッ化物配合歯磨剤のラベルには歯のフッ素症の危険性が警告されているが，小児用のフッ化物配合歯磨剤には毒性の警告はない．また，米国の場合は，現在 75％（2010 年）の住民が，人工的にフッ化物が添加された飲料水を飲んでいるため，エナメル質の形成期にある小児の場合には，二重にフッ化物を摂取することになり歯のフッ素症の危険性が増す．ただし，特殊な地域を除いて，一般的な地域で，住民の半数近くの 40％もの人々に歯のフッ素症を発現したという報告は聞いたことがない．

真実 6　幼児への水道水フロリデーションのメリットはゼロ，リスクが有るのみ！

原文では「現在，医学機関は 1 日に 10 μg の微量のフッ素の摂取が乳児の許容量であると推奨しています．2012 年 7 月，ハーバード大学の研究チームがごく低年齢の時期にフッ素の曝露をたくさん受けた子どもたちは，IQ のスコアが低かったという中国でなされた大規模な疫学調査に基づいて警告した．フッ素添加水道水が IQ を低下させる可能性があるというのは間違いなく重大な懸念事項です」また，「医学機関は一日に 10 μg の微量のフッ素の摂取が乳児の許容量であると推奨しています」とあるが，10 μg が体重当たりなのか一人当たりなのかが明確でない．正規に定められたアメリカ合衆国のミネラルの摂取基準[3]は**表 2**に示した通りである．

真実 7　フッ素サプリメントは FDA（米食品医療品局）による認可を受けていない

「フッ素は毒物なので医師から処方箋を出してもらわないとフッ素サプリメントは購入することができないのです．FDA はフッ素のサプリメントをむし歯の予防に有効性があるという認可はしていません．実際 FDA はフッ素のサプ

表2 米国における推奨栄養摂取量と許容上限摂取量

年齢（歳）	亜鉛 所要量 (mg) 男	亜鉛 所要量 (mg) 女	亜鉛 UL (mg)	クロム 所要量 (μg) 男	クロム 所要量 (μg) 女	クロム UL (μg)	モリブデン 所要量 (μg) 男	モリブデン 所要量 (μg) 女	モリブデン UL (μg)	フッ素 所要量 (mg) 男	フッ素 所要量 (mg) 女	フッ素 UL (mg)
0～6か月	2	2	4	0.2	0.2	—	2	2	—	0.01	0.01	0.7
0～12か月	3	3	5	5.5	5.5	—	3	3	—	0.5	0.5	0.9
1～3	3	3	7	11	11	—	17	17	300	0.7	0.7	1.3
4～8	5	5	12	15	15	—	22	22	600	1	1	2.2
9～13	8	8	23	25	21	—	34	34	1,100	2	2	10
14～18	11	9	34	35	24	—	43	43	1,700	3	3	10
19～30	11	8	40	35	25	—	45	45	2,000	4	3	10
31～50	11	8	40	35	25	—	45	45	2,000	4	3	10
50～70	11	8	40	30	20	—	45	45	2,000	4	3	10
70以上	11	8	40	30	20	—	45	45	2,000	4	3	10
妊娠期	—	11	40	—	30	—	—	50	2,000	—	3	10
授乳期	—	12	40	—	45	—	—	50	2,000	—	3	10

表3 フッ化物の応用と栄養評価

フッ化物は栄養か薬か？ 栄養	フッ化物は栄養か薬か？ 薬	国名	フッ化物局所応用	フッ化物全身応用 水道水	フッ化物全身応用 食品（サプリ）
×	○	日本	○	×	×
○	○	米国/英国 公衆衛生（健康格差・平等）	○	○	○
○	○	スウェーデン（EU） 個人の選択権	○	×	○

（栄養：一人あたりの一日摂取量（推奨量）を国が決めている）

リメントを診査し，許可を拒否しました」というものであるが，FDA（米食品医療品局）が認可を拒否したフッ化物サプリメントは2つの製品のみで，胎児用フッ化物サプリメントである[6]．胎児期にはフッ化物を摂取しても胎盤がバリアになるので，形成期の乳歯の歯質強化にはならない．したがって，FDAが認可しないのは，サプリメントすべてのことではない．

　残念ながら，日本ではフッ化物サプリメントは，医療用も含めていっさい販売されていない．

真実8　フッ素は水道水に添加されている唯一の薬

　水道水に添加されているフッ素は，薬ではなくう蝕を予防するための栄養である（**表3**）．

　フッ化物はう蝕発病を抑制し，生涯にわたる健康の維持増進に不可欠な「栄養」であり，この観点から，米国や英国など欧米先進諸国では，国の機関がカルシウムや鉄などと同様に，「フッ素」を一生を通じて人の健康にとって欠かせない「栄養」として位置づけ，年齢別の1日当たりのフッ化物摂取の目安量（AI：adequate intake）と上限量（UL：tolerable upper intake level）を設定している（**表2**)[3]．しかしながら，日本ではフッ化物応用が歯面塗布，洗口および歯磨剤といった薬物としての局所応用に限られ，水道水や食品へのフッ化物添加のような，フッ化物を健康の維持増進のための栄養として考えた全身応用法がまったくないため，現在のところ欧米先進諸国のようなフッ化物摂取基準は策定されていない．

真実9　フッ素を飲み込んでも歯にはほとんど効果がない

　フッ化物の全身応用に関しては，1945年以降，NIHその他の研究機関から明らかなう蝕予防効果が学術誌に報告されており[7,8]，何に基づく記述か理解できない．おそらく，ネット記事その他のパンフレット類によるものと思われる．

真実10　フッ素の危険性が最も高い地域は？

　地域によってう蝕の罹患率が異なるのは，専門家であれば誰でも知っていることである．日本でも，小中学校で100％フッ化物洗口を実施している佐賀県の12歳児のDMFTと，フッ化物洗口を実施していない東京都を比較すると，東京都のDMFTの方が佐賀県より低いという事実があるが，これは，佐賀県のDMFTがもともと東京都に比べて数倍高かったためで，数年後には明らかな低下が予測される．このようにフッ化物の応用効果には数年〜10年単位の期間が必要であり，世界的に見ても低所得層の多い貧しい地域では，もともとう蝕有病率が高いため，現在のう蝕の状況によってフッ化物の応用効果がないということは誤りである．疑問があればフッ化物応用後のう蝕の減少率など，異なる指標で比較すべきである．

　フッ化物応用の反対論の中にはその他にも，局所応用では起こり得ない「永久歯の変色」や根拠のないデマとしか言いようがない「ナチスがユダヤ人の逃

走防止用に使用していた」などの非科学的な記述が多々あることも事実である[9]。

（眞木吉信）

参考文献
1) 公益財団法人ライオン歯科衛生研究所：フッ素配合歯みがき剤のシェアと12歳児のDMFT．2016
 (https://www.lion-dent-health.or.jp/study/statistics/dmft.htm)
2) http://fluoridealert.org/articles/fluoride-facts/
3) 厚生労働省：日本人の食事摂取基準（2010年版），付録④諸外国の食事摂取基準．第一出版，東京，2010．
4) Grandjean P, Landrigan PJ：Neurobehavioural effects of developmental toxicity. Lancet Neurol, **13**（3）：330-38, 2014.
5) Choi AL, Sun G, Zhang Y, et al：Development Fluoride Neurotoxicity：A Systematic Review and Meta-Analysis, Environmental Health Perspective, **10**（120）：1362-8. 2012.
6) The two fluoride supplements that FDA has rejected are Enzilur (a fluoride/vitamin combination) and prenatal fluoride supplements.
 (http://www.fluoridealert.org/wp-content/uploads/enzilur-1975.pdf)
7) Rugg-Gunn AJ：Preventing the preventable? the enigma of dental caries, Brit Dent J, **191**；478-488, 2001.
8) 日本口腔衛生学会フッ化物応用委員会編：フッ化物応用の科学，口腔保健協会，東京，2010．
9) 大津智子：すべての歯科医師が良き臨床医となれれば！小児歯科臨床，**20**（12）：66-69, 2015.

Chapter 17

水のPFAS（ピーファス）汚染とう蝕予防に用いられるフッ化物

Q 最近，日本の水が危ないとして，フッ素の化合物「PFAS汚染」の実態がマスコミで報道されていますが，同じフッ素を使ってう蝕予防に用いられてきたフッ化物歯面塗布，フッ化物洗口およびフッ化物歯磨剤の使用は安全なのでしょうか？

A PFAS（ピーファス）は，有機フッ素化合物の総称です．生き物に長期間蓄積し，健康に悪影響を与える可能性があるため，代表的なPFOS（ペルフルオロオクタンスルホン酸）とPFOA（ペルフルオロオクタン酸）などは，2019年までにストックホルム条約会議で製造・使用が原則禁止されました．これらはすべて有機フッ素化合物であり，う蝕予防に使用される無機のフッ化物とは全く異なるものなので，正しく使用している限り安全性には問題ありません．

● 1. PFASとは～その起源と用途～

　1930年代，米国の化学者たちは，ペルフルオロアルキル化合物およびポリフルオロアルキル化合物（PFAS）と呼ばれる一群の新たな合成化学物質の開発に着手した．フッ素（F）と炭素（C）から生まれたこの物質は，原子間の結合が強く油分や水分など外部からの作用を寄せつけないものだった．そのような人工化学物質の草分けとなったのは，ニュージャージーにあったデュポン社の研究所に勤める化学者による偶然の産物だった．1938年のことだ．冷蔵庫の冷却装置の改良を試みていたところ，驚くほどよくすべる白いロウ状の粉ができた．試験の結果，その分子構造がほとんど壊れないことも発見した．これがポリテトラフルオロエチレン，後に「テフロン」の商標で知られることになった．

　やがてこの素材は米国陸軍の目に留まった．世界で最初に原子爆弾を製造す

ることになる，その可能性が見出されたのだ．原子爆弾を製造するためには，ウラニウムの濃縮が必要となるが，その過程で腐食性の高い化学物質が発生するため，通常の配管では溶けてしまう．デュポンの新素材はこの用途に最適だということがわかった．破損に耐えるように継ぎ目をコーティングするのだ．

テフロンが原爆計画で役割を果たしたため，この合成化学物質は戦時下で軍の機密として扱われた．その後，米国は戦争に勝利し，デュポンはこの物質がさまざまな産業や家庭の用途に適していることを察知した．かくして商標「テフロン」は登場した．

ただしひとつ問題があった．それはテフロンが固まりやすく気泡を形成しやすいため，成形に難点があることだった[1]．

● 2. PFOA と PFOS

ペルフルオロオクタン酸など8つの炭素原子でできている PFOA は C8 とも呼ばれる．その後，3M（旧ミネソタ鉱工業会社）が製造した PFOA は固いテフロンを乳化し，コート材として扱いやすく，そして安価にした．

1953年，これとは別の PFAS の重要な使い道が，またしても偶然が導く発見によって開発された．新種のゴムを開発中の 3M も化学者が，実験素材をキャンパス地のスニーカーの上にこぼしてしまった．生地は見えない層で覆われたため，見た目には変わりがないのに，撥油性や撥水性を持つようになった．ほどなく 3M は新製品「スコッチガード」を発表した．ペルフルオロオクタンスルホン酸（PFOS）は，PFOAのように，8つの炭素原子で組成されていた（**図1**）．製造業者はこれを用いて，防水スプレーをはじめ，汚れや水を寄せつけない生地や靴，カーペットなどの織物，家具のカバーや自動車の座席を製造するようになった．

1960年代初頭，米軍と 3M が立ち上げた共同企画は，PFAS を使って研究し，酸素を遮断することで火炎をすばやく鎮火できる発泡消火剤を開発した．研究に追い風が吹いたのは 1967 年で，この年，航空母艦 USS フォレスタルで半日以上も制御不能となった艦上火災で，乗員に 295 名の死傷者を出したのだった．

その後数年の間に，米軍と 3M によって完成を見た泡消火剤は，水成膜泡消火剤（AFFF）と呼ばれ，ペンタゴンの指令により，全ての艦船，陸上の格納庫，燃料貯蔵地，緊急車両に設置されることになった．米国の民間航空も AFFF

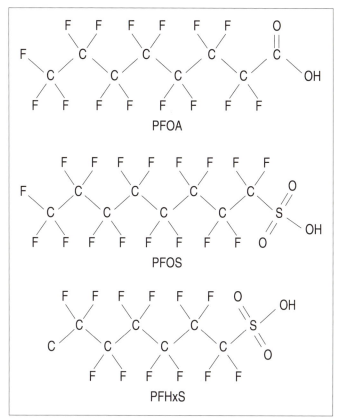

図1 PFASが炭素の鎖とフッ素原子で組成され，その結合が非常に強いため外部からの影響（油分や水分など）を寄せ付けない．炭素原子の数によって長鎖（8つの炭素原子を持つPFOAやPFOSなど）と，短鎖のもの（6つの炭素原子を持つペルフルオロヘキサン酸やGenXなど）に分類される

を採用し，日本を含む他国の軍事基地や空港がこれに続いた[1]．

●3. 日本におけるPFASの製造と汚染

日本でPFASの製造と使用に関わる主要な企業には，1988年から2017年の時点でダイキン工業株式会社，旭硝子株式会社（2018年よりAGC株式会社に社名変更），三井・デュポンフロロケミカル株式会社（2018年より三井ケマーズフロロプロダクツ株式会社）などがあり，年間生産量はこの間1万6千トン

から3万トンへと2倍近く上昇した．

現在，日本で地下水や土壌から検出されるPFASは，泡消火剤を大量に抱えていた米軍基地跡や自衛隊の駐屯地付近からが多く報告されているが，大阪府のダイキン工業の付近やその他の製造会社の近くからの検出もある[2-4]．

●4. 歯科保健に関連するPFAS使用製品

歯科保健に関連するPFAS使用製品として知られているのは，水をはじいて歯間隣接面をよく滑るようにしたデンタルフロスである．ハーバード大学の研究者の報告が示しているが，他の化粧品なども含めて，現在は使用されていないようである[5]．

●5. フッ素化合物とフッ化物の違いからう蝕予防に用いられるフッ化物の安全性を示す

ペルフルオロアルキル化合物およびポリフルオロアルキル化合物（PFAS）は，耐熱性，耐油性，耐水性に優れた，おおよそ5,000種類の合成化学物質群である．20世紀半ば以来，世界中で数え切れない製品に用いられ，わたしたちの生活は安全で便利になった．焦げつかないフライパンや炊飯釜，油っこい食べ物を包む包装用品，防水スプレーと撥水加工の衣類や，タッチスクリーンをすべりやすくするのに使われ，軍民問わず空港では，火災を瞬時に消し止めるPFAS配合の泡消火剤が備え付けられている．

だがPFASの化学的安定性は危険性にもつながる．外部からの作用に強い耐性を持つこの合成化学物質は，自然界で分解するのに数千年を要するので，そのあまりにも長い環境残留性から，アメリカでは専門家たちがPFASに「永遠の化学物質」というニックネームを付けた．今やフォーエバー・ケミカルは地球を汚染している．土壌や大気や環境を汚染し，川や湖を汚染し，わたしたちの飲み水を汚染し，健康障害の危険性を孕んでいる[6]．

これに対して，う蝕予防のために歯科保健領域で用いられるフッ素は無機の化合物であり，昔から自然に存在するもので「フッ化物」とよばれ，学術的には「フッ素化合物」と称される化学的に合成されたPFASのような有機の化合物とは異なり，正しい使い方をする限り，血中や内臓組織への残留はなく，エ

ナメル質など硬組織の結晶への取り込みに限られ,生体に健康障害は起こさない[6,7].

(眞木吉信)

参考文献

1) Jon Mitchell, 小泉昭夫, 島袋夏子. 永遠の化学物質 水のPFAS汚染. 岩波書店. 2020年, 1-10.
2) 朝日新聞. 小学校からPFOS, 沖縄普天間飛行場に隣接. 2022年9月25日.
3) 朝日新聞. PFAS 国が対策強化へ, 健康への悪影響指摘, 地下水や井戸から国の暫定目標値(50ナノグラム)を超える有機フッ素化合物が検出された主な地域 大阪市 ダイキン工業. 2023年1月31日.
4) 朝日新聞. 天声人語 PFASを含む泡消火剤の漏出(米軍横田基地). 2023年7月25日.
5) "Some Dental Floss May Expose People to Harmful Chemicals," News Harvard T. H. Chan School of Public Health January 14, 2019.
   http://www.hsph.harvard.Edu/news/hsph-in-the-news/dental-floss-harmful-chemicals/.
6) ロバート・ビロット著. 旦 祐介訳. 毒の水——PFAS汚染に立ち向かったある弁護士の20年. 共栄書房. 2023年.
7) 眞木吉信ら, 日本口腔衛生学会フッ化物応用委員会編. フッ化物応用の科学 第2版, 口腔保健協会. 2018年, 25-30.

Chapter 18

フッ化物配合歯磨剤によるアナフィラキシー発現？ —う蝕予防のフッ化物応用とアレルギー，アナフィラキシーおよび急性中毒の発現—

Q う蝕予防を目的としたフッ化物の応用で，アレルギーやアナフィラキシーが起きたという報告はありますか？

A 日本において，フッ化物洗口剤ミラノールによるアレルギーの疑いが，日本口腔衛生学会に報告されたことはありましたが，動物実験やパッチテストにより，フッ化物が原因ではないことが確認されました．フッ化物はお茶や紅茶，海産物などに含まれており，身のまわりの環境に多く存在します．私たちは日常的に飲食を通じてフッ化物を摂取しており，もし，フッ化物に生体にとってアレルギーの原因となる性質が備わっているとすれば，今までの長い歴史の中で多数のアレルギーやアナフィラキシーの症例が出てきても不思議ではありません．WHO もフッ化物を多く含んでいる飲料やお茶を飲用する世界中の 10 億人の消費者においてアレルギー反応が引き起こされたとの記述は皆無であるとしています．また，フロリデーションが国民の 3/4，2 億 1,100 万人に普及している米国でも，疑義を含めた検証が行われ，米国アレルギー学会が「水道水フロリデーションで用いられるフッ素によってアレルギーや過敏反応を起こすというエビデンスはない」と結論づけて，フッ化物によるアレルギーやアナフィラキシーは否定されています．

● 1. フッ化物配合歯磨剤「チェック・アップコドモ A」の使用によるアナフィラキシー発現の報告

2023（令和5）年5月19日に，厚生労働省医薬・生活衛生局医薬安全対策課より「『チェック・アップコドモ A』を使用した小児がアナフィラキシーを発現

薬生安発 0519 第 1 号
令和 5 年 5 月 19 日

各 [都 道 府 県／保健所設置市／特 別 区] 衛生主管部（局）長 御中

厚生労働省医薬・生活衛生局医薬安全対策課長
（　公　印　省　略　）

薬用歯みがき類「チェック・アップコドモ A」の使用後に発現した
アナフィラキシーについて（依頼）

　医薬品等の適正使用、安全対策につきましては日頃から御協力いただきありがとうございます。
　今般、薬用歯みがき類の「チェック・アップコドモ A」（以下「本製品」という。）の使用後にアナフィラキシーを発現したとされる症例が、令和 4 年 12 月から令和 5 年 5 月の間に 3 例（別紙参照）報告されました。
　現時点では、本製品の使用とアナフィラキシーの発現の因果関係は明らかではありませんが、厚生労働省は、本製品の使用に関する安全性について、より注視していく必要があると考えておりますので、下記について医療関係者等に広く周知されるよう格段の御配慮を賜りますようお願い申し上げます。
　なお、本製品は、歯科診療施設に向けて販売されています。

記

（1）報告された 3 例はすべてアレルギー等の既往がある患者における症例であるため、歯科診療施設等において、患者に使用する際には、既往歴の確認も含めアナフィラキシーの発現に注意いただきますようお願いいたします。

（2）アナフィラキシー等が現れたときは使用を中止し、本製品を持参して速やかに医療機関を受診するよう保護者等にご説明いただきますようお願いいたします。

（3）アナフィラキシー等の有害事象が認められた場合には、本製品の製造販売業者への情報提供又は独立行政法人医薬品医療機器総合機構への医薬部外品の安全性情報報告にご協力いただくとともに、製造販売業者からの調査があった場合にはご協力いただきますようお願いいたします。

（別紙）
チェック・アップコドモ A 使用後にアナフィラキシーを発現した症例のラインリスト

	製品名	年齢	転帰	既往歴等
1	チェック・アップコドモ Ab（ストロベリー味）	4 歳	回復	食物アレルギー（牛乳・鶏卵）、アトピー性皮膚炎、急性肺炎
2	チェック・アップコドモ Aa（グレープ味）	9 歳	回復	食物アレルギー（鶏卵、山芋、クルミ、ピーカンナッツ）、副作用歴（サワシリンによる多形紅斑）
3	チェック・アップコドモ Aa（グレープ味）	7 歳	回復	喘息

図 1　薬用はみがき類『チェック・アップコドモ A』の使用後に発現したアナフィラキシーについて（厚生労働省からの依頼文書）

2023年5月26日
ライオン歯科材株式会社

こども用歯磨き剤「Check-Up kodomo（販売名：チェック・アップコドモA）」の安全性に関する情報とお願い

　5月19日に厚生労働省から、薬用歯磨きである「チェック・アップコドモA」を使用した後に発現したアナフィラキシーについての通知が発出されました。

　この歯磨きを使用したお子様において、アナフィラキシーを発現した症例が3件（＊）発生し、それぞれ行政（独立行政法人 医薬品医療機器総合機構）報告を行いました。

　いずれも食物アレルギー様症状や喘息の既往歴のあるお子様であり、症状は一過性で既に回復されております。

　Check-Up kodomo（グレープ、ストロベリー、アップルの3香味）は、現製品を2011年9月から現在まで長らくご愛顧いただいており、累計で1,800万個以上を販売させていただいております。また、本製品は、安全性を認められた成分にておつくりしており、品質管理として原料及び製品は承認規格に適合していることを確認して出荷しております。

　現在、この歯磨きがアナフィラキシーの原因であるかは不明ですが、本製品のご使用に際しましては、お子様のアレルギー様症状の既往や喘息の既往のご確認を宜しくお願いいたします。また異常が現れた場合は使用を中止し、製品を持参して速やかに医療機関を受診いただくようお願いいたします。

　なお、アナフィラキシーを起こしやすい方とは、食物や医薬品などでアレルギーの既往のある方、喘息、アレルギー性鼻炎、アトピー性皮膚炎、アナフィラキシーなどアレルギー疾患の既往のある方です（独立行政法人 医薬品医療機器総合機構 重篤副作用疾患対応マニュアル「アナフィラキシー（厚生労働省 令和元年9月改定）」）。

（※）アナフィラキシーを発現した3症例の年齢及び既往歴など

	販売名	年齢	既往歴等
1	チェック・アップコドモ Ab（ストロベリー味）	4歳	食物アレルギー（牛乳・鶏卵）、アトピー性皮膚炎、急性肺炎
2	チェック・アップコドモ Aa（グレープ味）	9歳	食物アレルギー（鶏卵、山芋、クルミ、ピーカンナッツ）、副作用歴（サワシリンによる多形紅斑）
3	チェック・アップコドモ Aa（グレープ味）	7歳	喘息

弊社ホームページの製品情報に以下を掲示します。

　ご注意
●発疹などの異常が現れたときは使用を中止し、商品を持参して医師に相談してください。
●歯科医師・歯科衛生士の指導のもとにお使いください。
　※食物や薬などによりアレルギー様症状を起こしたことのあるお子様や喘息のお子様は特に注意してください

　　（●：本製品の裏面に既に記載している内容　※：本件を受けての新たな注意喚起）

本件に関するお問い合わせは、以下までお願いいたします。
　フリーダイヤル０１２０－５５６－９１３（ライオン株式会社お客様センター）

以上

図2　こども用歯磨き剤「Check-Up kodomo（販売名：チェック・アップコドモA）」の安全性に関する情報とお願い

した症例が，令和4年12月から令和5年5月の間に3例報告された」という内容の文書が自治体に配信された（**図1**）[1]．この3症例の小児にはアレルギーまたは喘息の既往が認められたので，この製品の使用には十分な注意を払っていただきたいと表現されていた．一方で，この文書では「現時点では，本製品の使用とアナフィラキシーの発現の因果関係は明らかではありません」とも述べられていた．

その1週間後の2023（令和5）年5月26日にチェックアップ製品を扱う歯科医療機関に配信されたライオン歯科材の文書（**図2**）では，「現製品を2011年9月から現在まで長らくご愛顧いただいており，累計で1,800万個以上を販売」と記載されている[2]．ライオン歯科材では，販売開始からこれまで，使用者からのアレルギーやアナフィラキシーの訴えは皆無であったと報告している．今回の3症例は，この販売量に比較して，極めてまれな報告だと考えられる．

厚生労働省の文書のタイトルは『薬用はみがき類「チェック・アップコドモA」の使用後に発現したアナフィラキシーについて（依頼）』であり，「薬用歯みがき類」という表現からすると，このアナフィラキシーの原因には薬用成分としての「フッ化物」が関連しているかのようにもとれる．フッ化物応用によるアレルギー発現については，これまで日本においてフッ化物洗口剤の使用によるアレルギー様症状発現の学会報告が1件あったが，その後のパッチテストによりフッ化物洗口液が原因とは考えられず，前後に食した食品が原因である可能性もあると報告されている[3]．世界的にも歯科用フッ化物製剤によるアレルギー症状は副作用として認識されておらず，WHOの必須医薬品モデルリストのフッ化物配合歯磨剤の説明においてもアレルギーの記載は見られない[4]．ただし，製剤の添加物によるアレルギーの可能性は否定できないため，添加物に対するアレルギーの既往がある場合は使用を避けるべきであるとされている[5-7]．

●2. アナフィラキシーを発現したという3名のフッ化物使用経緯とアレルギー等の既往

上記の3症例については，3名ともアレルギー等の既往を有していた．そのため，歯磨剤の添加物に対するアレルギーを生じた可能性は否定できないが，

アレルギーとは別の可能性も存在することに留意する必要がある．ここに，アナフィラキシーを発現したという3名のアレルギー等の既往およびアナフィラキシー発現状況と対応とフッ化物使用経緯を示す．

1例目　使用歯磨剤：チェック・アップコドモ（ストロベリー味）
年齢・性別・発現日：4歳　男　2022年10月
アレルギー等の既往：食物アレルギー（牛乳・鶏卵），アトピー性皮膚炎，少量
　　　　　　　　　　の牛乳接種でアナフィラキシーを繰り返し発症

定期的なメンテナンスを目的に歯科医院へ来院
① チェック・アップコドモで口腔清掃（過去5回もチェック・アップコドモを使用していたが，これまでは「グレープ味」を使用）
② **フルオール・ゼリーによるフッ化物歯面塗布**
③ 処置終了後に待合室でせき込む
④ 保護者が病院へ受診
⑤ その後回復

2例目　使用歯磨剤：チェック・アップコドモ（グレープ味）
年齢・性別・発現日：9歳　男　2023年1月
アレルギー等の既往：食物アレルギー（鶏卵，山芋，クルミ，ピーカンナッツ）
副作用歴（サワシリンによる多形紅斑？）

定期的なメンテナンスを目的に歯科医院へ来院
① チェック・アップコドモで口腔清掃（チェック・アップコドモの使用は初めて）
② **フルオール・ゼリーによるフッ化物歯面塗布**
③ 帰宅途中に車内でアナフィラキシー様の症状を発生
④ 保護者が病院へ受診
⑤ その後回復

3例目　使用歯磨剤：チェック・アップコドモ（グレープ味）
年齢・性別・発現日：7歳　女　2023年4月
アレルギー等の既往：アレルギー（ハウスダスト，ヤケヒョウダニ，杉ヒノキ）
喘息
溶血連鎖球菌感染症のためサワシリン錠服用歴あり？

予防処置のために歯科医院へ来院
① 　トリプラークIDジェル（GC）による歯垢染色
② 　MIペースト（GC）によるポリッシング
③ 　**フルオール・ゼリーによるフッ化物歯面塗布**
④ 　処置後チェック・アップコドモのサンプルを持ち帰る
⑤ 　異常なし
⑥ 　就寝前にチェック・アップコドモのサンプル製品でブラッシング後に症状が出た
⑦ 　次の日に病院を受診（担当医は「アナフィラキシー」ほどひどくないとも言っていた．しかし診断名は「アナフィラキシー」）

＜3名の共通点＞
・3名ともスタートはライオン（株）のお客様相談室への保護者からの訴え．
・3名とも医師の診断名は「アナフィラキシー」で共通．
・3名とも当日は診療室で「フルオール・ゼリー（9,000 ppmF），ビーブランド・メデイコーデンタル）」によるフッ化物歯面塗布を受けていた．
・3名ともアレルギーの既往歴あり．
・具体的な治療手段と回復方法は3名とも不明．
・1，2症例では，アドレナリン（ボスミン）筋注したとの医療機関から情報あり．所謂エピペンと同様の処置と考えられる．また，3名とも一日入院されていることも確認できた．
・チェック・アップコドモのLot（ロット番号）はすべて異なる．

　3名は発症前に共通して，歯科診療所で「フルオール・ゼリー（9,000 ppmF）」によるフッ化物歯面塗布を受けていた．そのうち2名はフッ化物歯面塗布前の清掃剤として「チェック・アップコドモA」を使用していた．また，使用した

歯磨剤のロット番号はすべて異なっていたことから，異物混入などの製造過程における問題は考えにくい．

さらに，3症例とも症状が必ずしも「アナフィラキシー」のような重篤なものではない様子であった．アナフィラキシー─anaphylaxi, anaphylactic reaction とは「特定の物質によって惹起される IgE 抗体を介した I 型アレルギー反応（即時型アレルギー反応）で生じる重篤な病態」をいう．医学書院の医学大辞典（第2版，2009年）の定義である．3番目の例は一晩おいて次の日に病院で診察を受けている．これがアナフィラキシーという重篤な病態なのだろうか．

フッ化物の過剰摂取による「急性中毒症状」の可能性も疑われる．これまでフッ化物歯面塗布による急性中毒は珍しいことではないとして注意喚起がなされてきた．また，子どもが誤ってフッ化物配合歯磨剤を大量に誤食したことによる急性中毒の事故も存在する[8]．

今回の報告例を見ると，「せき込み」や「アナフィラキシー様の症状」などは，歯面塗布剤など高濃度フッ化物応用後に起きた，フッ化物イオンの過剰摂取による「急性中毒症状」と表現したほうが適切なのではないかと考える．臨床でのプロフェッショナルケアによる使用で，応用するフッ化物の摂取許容量を不注意により超えてしまうことは避けなくてはならない．

（眞木吉信）

参考文献

1) 厚生労働省医薬・生活衛生局医薬安全対策課．薬用歯みがき類「チェック・アップコドモ A」の使用後に発現したアナフィラキシーについて（依頼）．2023 年．
   https://www.pmda.go.jp/files/000252609.pdf
2) ライオン歯科材株式会社：こども用歯磨き剤「Check-Up kodomo（チェック・アップコドモ A）」の安全性に関する情報とお願い．2023 年．
   https://www.lion-dent.co.jp/static/pdf/dental/news/news_20230519.pdf
3) 石川　昭．ミラノールによるアレルギーが疑われた女児にパッチテストを試みて．口腔衛生会誌．2005；**55**：194-198．
4) WHO. The selection and use of essential medicines：report of the WHO Expert Committee on Selection and Use of Essential Medicines, 2021（including the 22nd WHO Model List of Essential Medicines and the 8th WHO Model List of Essential Medicines for Children）. In. Geneva：World Health Organization；2021.
5) WHO. F.5 Fluoride formulations, F.5c Fluoride varnish. 2023.
   https://cdn.who.int/media/docs/default-source/essential-medicines/2023-eml-expert-committee/applications-for-new-formulations-strengths-of-existing-listed-medicines/f5c_fluoride-varnish.pdf?sfvrsn=33e1f8d9_1
6) WHO. F.5 Fluoride formulations, F.5a Fluoride gel. 2023.
   https://www.who.int/groups/expert-committee-on-selection-and-use-of-essential-medicines/24th-eml-expert-committee/
7) WHO. F.5 Fluoride formulations, F.5b Fluoride mouthrinse. 2023.
   https://cdn.who.int/media/docs/default-source/essential-medicines/2023-eml-expert-committee/applications-for-new-formulations-strengths-of-existing-listed-medicines/f5b_fluoride-mouthrinse.pdf?sfvrsn=87435c27_1
8) 日本小児科学会こどもの生活環境改善委員会．Injury Alert（傷害速報）No. 113　フッ素入り子ども用歯磨剤の誤食による急性フッ素中毒疑い．日本小児科学会雑誌 2022；1098-1100．

索　引

<あ>

アメリカの設定基準
　（Dietary Reference
　Intakes；DRI） ………… 70
アレルギー ……………… 104,
　107-110
アナフィラキシー …… 104,
　105,107-110

<い>

イエテボリ改良法 … 83,84
イエテボリ法 ………… 83,84
意思決定 …………………… 8
医薬食品局 …………… 17,25
医薬品 …… 8,17,20-22,46,
　47,107
I 型アレルギー ………… 110
陰膳食法 ……………… 69,70
インフォームド・コンセン
　ト ……………………… 41-43
インプラント …… 11,80,81,
　82,84,85
インプラント周囲炎 …… 80

<え>

英国ヨーク大学 ………… 56
栄養補助食品 ………… 58,73
液剤 ……………………… 73

<お>

オタワ宣言 ……………… 27
オラブリス ………… 20,22

<か>

科学的根拠に基づいた医療
　（EBM） ………………… 54
化学物質 …… 8,13,37,99,
　100,102
過剰摂取 ……………… 9,110
学校保健 … 9,14,15,26,27,
　31,33,34,41,42,65
カルシウム（Ca） ……… 68
環境汚染物質 …………… 13
環境有害性分類 ………… 38
関節リウマチ ………… 51,52
感染症報告制度 ……… 46,47

<き>

基本的人権 …… 8,12-15,42
急性中毒 …………… 45,110
急性毒性 ………… 38,45-48
矯正用ワイヤー ………… 80
京都議定書 ……………… 38

<く>

クロロフルオロカーボン
　（CF_2Cl_2，$CFCl_3$） …… 38

<け>

下水道法 ………………… 39
健康格差 …… 21,26,60-62,
　67,72,73,96
健康日本 21 …… 27,30,33,
　60,67
健康の社会的決定要因
　（Social determinants of
　health） ……………… 60,61

<こ>

公害物質 ………………… 13
甲状腺腫 ………………… 56
高濃度フッ化物配合歯磨剤
　…… 7,10,11,46,52,68,86,
　91,94,110
国民栄養調査 …………… 70
国民皆保険制度 ………… 60
国連人間環境会議 ……… 37
骨粗鬆症 ……………… 51,52
骨肉腫 …………………… 56
骨フッ素症 ……… 49,50-52

<さ>

再審査制度 ……………… 40
再評価制度 …………… 46,47
札幌宣言 ………………… 30
残留性有機汚染物質 …… 38

<し>

歯科医療費 ………… 28,29,73
歯科口腔保健の推進に関す
　る法律（歯科口腔保健
　法） ………………… 60,66
歯科疾患の予防技術・治療
　評価に関するフッ化物応
　用の総合的研究 ……… 69
歯牙フッ素症 ………… 92,95
歯科保健推進条例 ……… 64
自己決定権 …… 8,14,41,43,
　54
システマティックレビュー
　（系統的総説） …… 55,56,
　75,76
市民団体 ………………… 8
試薬 ……………………… 42

集団フッ化物洗口 …… 9,17
　20,21,23,24,41-44,62
12歳児DMFT指数（一人
　平均永久歯う蝕経験歯
　数）…………… 31,33,35
上限量（UL：tolerable
　upper intake level）
　………………… 68-72,97
小児環境保健対策疫学調
　査 ………………………… 13
食事摂取基準 …………… 49
使用薬剤の処方および調
　剤 ………………………… 22
食塩（NaCl）…… 13,38,55,
　93
人権救済申立て …………… 8
人権侵害 ……… 8,12,14,15
人権問題 ………………… 41
腎疾患患者 ……………… 58
審美的副作用（adverse
　cosmetic effect）……… 71

<す>

水質汚濁防止法 …… 37,39
推定中毒量 ……………… 46
推定平均必要量（EAR：
　estimated average
　requirement）………… 71
水道水フロリデーション
　… 10,55,62,69,70,73,75,
　77,78,89,92-95,104
ステロイド薬 …………… 52

<せ>

生活環境病 ……………… 29
生活習慣病 ………… 27-29
世界保健機関（WHO）憲
　章 ………………………… 42
全身への影響 ……… 54,56

<そ>

組織活動 …… 14,26,27,41

<た>

ダイオキシン …………… 38
ダウン症候群 …………… 56

<ち>

致死量 …………………… 46
チタンインプラント周囲炎
　………………………………… 80
知能指数 ………………… 13
チェック・アップコドモ
　A ………………… 104-109

<て>

テフロン ………… 38,99,100

<と>

特定施設 ………………… 39

<に>

日本学校歯科医会 …… 9,10,
　20,23
日本口腔衛生学会 ……… 7,9,
　10,12,23,30,41,55,80,
　81,104
日本国憲法第13条 …… 41,
　43,44
日本歯科医学会 … 9,23,68,
　69
日本歯科医学会医療問題検
　討委員会 …………… 68,69
日本歯科医師会 …………… 9
日本障害者歯科学会 …… 10
日本小児歯科学会 ……… 10
日本人におけるフッ化物摂
　取基準（案）……… 68,71
日本人の食事摂取基準
　……………………… 71,72
日本弁護士連合会（日弁
　連）… 7,8,9,12,37,41,91,
　92
日本むし歯予防フッ素推進
　会議 …………… 10,20
認知症 …………………… 56

<ね>

年齢別の一日あたりのフッ
　化物摂取の目安量（AI：
　adequate intake）…… 68

<は>

パーフルオロオクタン酸
　（PFOA）………………… 38
パーフルオロオクタンスル
　ホン酸（PFOS）……… 38
排水基準（フッ化物濃度
　8 mg/l以下）………… 39
発癌性 ……………… 13,57
歯のフッ素症 …… 23,49,50,
　52,70,95
歯ブラシゲル法 ………… 30

<ひ>

微量元素（栄養素）…… 49

<ふ>

副作用 … 9,13,46,47,49,71
　107,108
フッ化ナトリウム（NaF）
　……… 13,20-22,38,39,42
フッ化ナトリウム試薬
　……………………………… 42
フッ化ナトリウムを含有す
　る医薬品 ……………… 22
フッ化物イオン（フッ素）

……38-39,45-48,49-53
フッ化物イオン残留量
　………………………82-85
フッ化物イオン電極……83
フッ化物イオン濃度
　……19-20,22-23,39-40,
　86-90
フッ化物イオンメーター
　………………………………83
フッ化物応用委員会……55
フッ化物応用における環境
　汚染の危険性……37-40,
　39
フッ化物応用についての総
　合的見解………9,54-59
フッ化物応用の有効性
　……30-36,31-32,32-33,
　33-35
フッ化物急性毒性発現時の
　対処………………47-48
フッ化物サプリメント
　（tablet, drops）…………73
フッ化物歯面塗布……8-11,
　32-33,45
フッ化物歯面塗布剤
　…………………45-46,46
フッ化物製剤………22-23,
　45-48
フッ化物摂取基準
　……………68-74,71-72
フッ化物摂取量……69-71,
　72
フッ化物洗口………17-25,
　18-19,20,33-35
フッ化物洗口ガイドブッ
　ク…………………記載なし
フッ化物洗口ガイドライ
　ン…………………21,9,33
フッ化物洗口溶液など
　……………………22-24
フッ化物洗口溶液の管理
　………………22-24,23
フッ化物洗口溶液の調製
　……………………22-23

フッ化物配合歯磨剤
　……31-32,80-85,86-90,
　104-111
フッ化物配合歯磨剤の市場
　占有率（ライオン歯科衛
　生研究所）…………31,87
フッ化物利用の安全性
　……45-48,49-53,54-59,
　75-79
フッ素洗口・塗布………8-11
フッ素についての10の真
　実"10 Facts about Fluo-
　ride"…91-98,92,93-98
フッ素の適正摂取量
　……………………71-72
フッ素論争……………7-11
プライバシー………8,41,44
ブラッシング方法………83
フルオール・ゼリー
　………………………108,109
プロフェッショナルケア
　…………………82,110
フロリデーション（水道水
　フッ化物添加）……9,10,
　26,29,36,55,62,68,70,
　72,73,75-78,89,92-95,
　104
フロンガス………………38

<へ>

ヘルスプロモーション
　………………27,29,43,62

<ほ>

ホームケア………………85
保健管理……9,14,23,26,27,
　41,42
保健教育………23,26,27,41
ポリ塩化ビフェニル
　（PCB）…………………38

<ま>

マーケットバスケット方
　式……………………70
マイアミ宣言……………13
慢性毒性………………38,49

<み>

ミネラル………49,50,94,95
ミラノール………20,22,47,
　104
ミルクフロリデーション
　………………………55

<め>

メタ解析…………………52
目安量（AI）……68,69,70,
　71,72,97

<や>

薬剤師………………22,42
薬事法………………17,38
薬用歯みがき類……86,88,
　107

<ゆ>

有機フッ素化合物…38,99

<よ>

予防原則…………8,12,13

<ら>

ライフスタイル要因……61,
　62
ライフステージ……67,71,
　72,89

<り>

臨界副作用（critical adverse effect） ……… 71
リン酸酸性フッ化物ナトリウム：APF ……… 85

<ろ>

6フッ化硫黄（SF$_6$） …… 38
ロコモティブシンドローム（ロコモ） ……………… 51

<A>

A Systematic Review of Public Water Fluoridation（2000年） ……… 56
Ad Hoc Report（1991年） …………………………… 57
ANHMRC（オーストラリア国立健康医学研究評議会） ……………………… 77

<E>

EBM ……………………… 54,55

<F>

FDA（米食品医療品局）
 ………………………… 92,95,96
FDI（国際歯科連盟） …… 56,58
Fluoride Action Network
 ………………………… 91,92

<G>

GHS分類 ……………… 38,39

<I>

IgE抗体 ………………… 110
IHRB（アイルランド健康研究会議） ……………… 77
International Agency for Research on Cancer（IARC：国際癌研究機関） ………………………… 57
ISO …………………… 86,88

<L>

LOAEL値 ………………… 71

<M>

NIEHS（米国国立環境健康科学研究所） ………… 77
moderate ………………… 71

<N>

National Health and Medical Research Council（NHMRC：国立保健医療研究評議会）
 ………………………… 55
National Institute of Health（NIH：米国国立衛生研究所） ……………………… 57
National Research Council（NRC：全米研究評議会）
 ……………………… 57,76
negative question ………… 7
NHMRCシステマティックレビュー ……………… 56

<P>

PFAS ………………… 99–102
PFOA ………………… 38,99–101
PFOS ………………… 38,99–101

<R>

RSNZ（ニュージーランド王立協会） ………………… 77

<S>

SCHER（欧州の健康と環境リスク科学委員会）… 77
Skeletal fluorosis ………… 52

<T>

TISABⅢ（全イオン強度補正緩衝液） ……………… 83

<W>

WHO（世界保健機関）
 …… 9,12,20,24,27,42,43,52,56,57,60

【編者略歴】
眞木　吉信
1978 年　東京歯科大学卒業
1990 年　東京歯科大学助教授
2002 年　東京歯科大学教授
2019 年　東京歯科大学名誉教授

フッ化物をめぐる
誤解を解くための 18 章　　　ISBN978-4-263-44729-1

2025 年 6 月 25 日　第 1 版第 1 刷発行

編　者　眞木　吉信
発行者　白石　泰夫
発行所　医歯薬出版株式会社
〒 113-8612 東京都文京区本駒込 1-7-10
TEL. (03)5395-7638（編集）・7630（販売）
FAX. (03)5395-7639（編集）・7633（販売）
https://www.ishiyaku.co.jp/
郵便振替番号　00190-5-13816

乱丁，落丁の際はお取り替えいたします　　印刷・三報社印刷／製本・愛千製本所
© Ishiyaku Publishers, Inc., 2025. Printed in Japan

本書の複製権・翻訳権・翻案権・上映権・譲渡権・貸与権・公衆送信権（送信可能化権を含む）・口述権は，医歯薬出版(株)が保有します．

本書を無断で複製する行為（コピー，スキャン，デジタルデータ化など）は，「私的使用のための複製」などの著作権法上の限られた例外を除き禁じられています．また私的使用に該当する場合であっても，請負業者等の第三者に依頼し上記の行為を行うことは違法となります．

JCOPY ＜出版者著作権管理機構 委託出版物＞

本書をコピーやスキャン等により複製される場合は，そのつど事前に出版者著作権管理機構（電話03-5244-5088，FAX 03-5244-5089，e-mail:info@jcopy.or.jp）の許諾を得てください．